KB183758

이상이 일상이 되도록 상상하라

생각하는 시민을 위한 정치우화

이상이 일상이 되도록 상상하라

민달팽이의 인권 분투기

유범상 지음 | 유기훈 그림

마북

차례

한눈에 보는 등장 동물

마중이 민달팽이. 부당한 일에 분노하고 근본적인 원인이 무엇인지 항상 고민한다. 열심히 노력하면 성공할 수 있다는 믿음을 갖고 있다. 성공해서 친구들과 함께 행복하게 살고 싶다는 마중이의 꿈은 여러 사건을 겪고 목요클럽에서 토론을 하면서 변화된다.

목청이 매미. 마중이의 친구로 노래하는 것을 좋아해서 가수가 되는 게 꿈이다. 이상마을로 가서 전략가가 되었으나 고민이 많다.

꽃뱅이 딱정벌레. 마중이의 친구로 매사에 자신감이 넘친다. 친구보다 가업을 우선시한다.

미노 호랑나비. 마중이의 친구로 수줍음이 많다. 발레리노가 되는 꿈을 이루기 위해 최선을 다한다.

미수 아줌마 마중이가 믿고 의지하는 엄마뻘의 개미이다. 온화하고 신중한 성격이나 추진력도 강하다. 이상마을로 일하러 간 아들을 걱정한다.

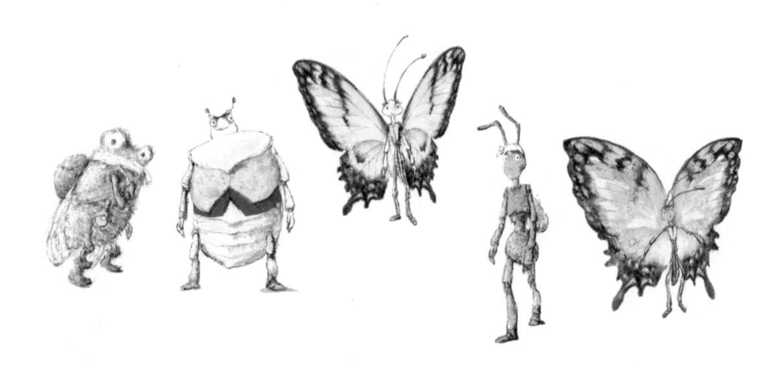

보라 아저씨 나비. 다른 동물들의 삶에 관심을 갖고, 지혜를 나누려 노력한다. 마중이가 고비에 처할 때마다 우정과 공동체에 대해 조언을 해 준다.

일만이 일개미. 목요클럽에 열성적으로 참여한다. 이상마을에서 가장 많은 수를 차지하는 개미들의 목소리를 대변하기 위해 선거에 출마한다.

반디 반딧불이. 꽃뱅이를 위해 일해 왔지만, 목요클럽의 활동에 감동받아 클럽에 가입한다. 하지만 여전히 자신의 이익에 민감한 모습을 보인다.

바오밥나무 느~린마을을 상징하는 나무. 곤충들에게 먹을거리를 주고, 쉬고 놀 수 있는 공간이 되어 준다. 자연을 함부로 다루는 인간 때문에 위험에 처한다.

개구리 곤충들을 마구 먹어 치우는 포식자이다. 목적을 이루기 위해 자신에게 접근해 오는 곤충들과 손을 잡기도 한다.

인간 최상위 포식자로서 동물들에게 공포의 대상이다. 자신과 다른 종이라는 이유로 동물을 차별한다.

1부
꿈

고향

어느 숲속 깊은 곳에 '느~린마을'이 있었다. 이 마을에 사는 애벌레와 굼벵이들은 모두 느~렸다. 느린 정도가 아니라 느려도 너무 느~렸다.

'또르르 또르르.'

평소 느~리기만 한 굼벵이들이 번개처럼 재빠르게 움직일 때도 있다. 뜨거운 햇볕이 비치거나 천적인 개구리가 나타나면 굼벵이는 몸을 돌돌 말아 구르곤 했다. 그 모습 때문에 굼벵이도 구르는 재주가 있다는 말이 생겼다.

느~린마을은 곤충들의 고향이다. 많은 곤충들이
이 마을에서 태어나 어린 시절을 보냈다.
이곳에선 나비, 딱정벌레, 매미 등 모든 곤충들이
함께 어울리며 친구가 되었다. 그러다 성충이 되면
저마다 새로운 삶의 터전을 찾아 떠나갔다.

이 마을에 사는 나비의 애벌레, 딱정벌레와 매미의 굼벵이,
그리고 개미는 서로가 서로를 돌봐 주었다. 개미는 애벌레와
굼벵이를 보살펴 주고, 기생벌로부터 애벌레와 번데기를
지켜 주었다. 대신 애벌레들은 자신의 몸에서 나오는 단물을
개미에게 먹이로 내주었다.

느~린마을 한가운데에는 큰 바오밥나무가 서 있었다.
바오밥나무가 언제부터 이곳에 있었는지, 몇 살인지
곤충들은 알지 못했다. 하지만 느~린마을에서
바오밥나무가 가장 느~린 존재임은 확실했다.

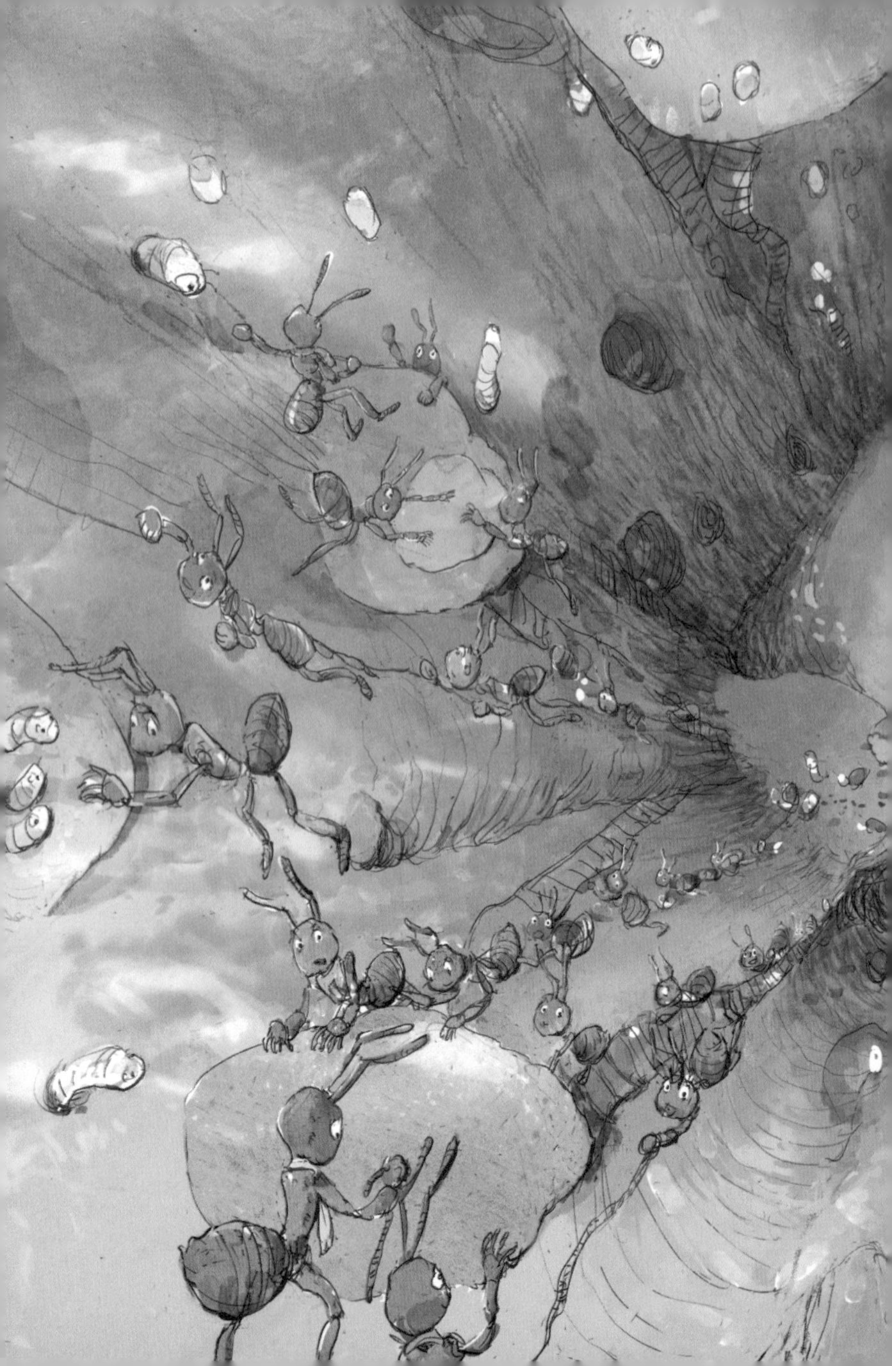

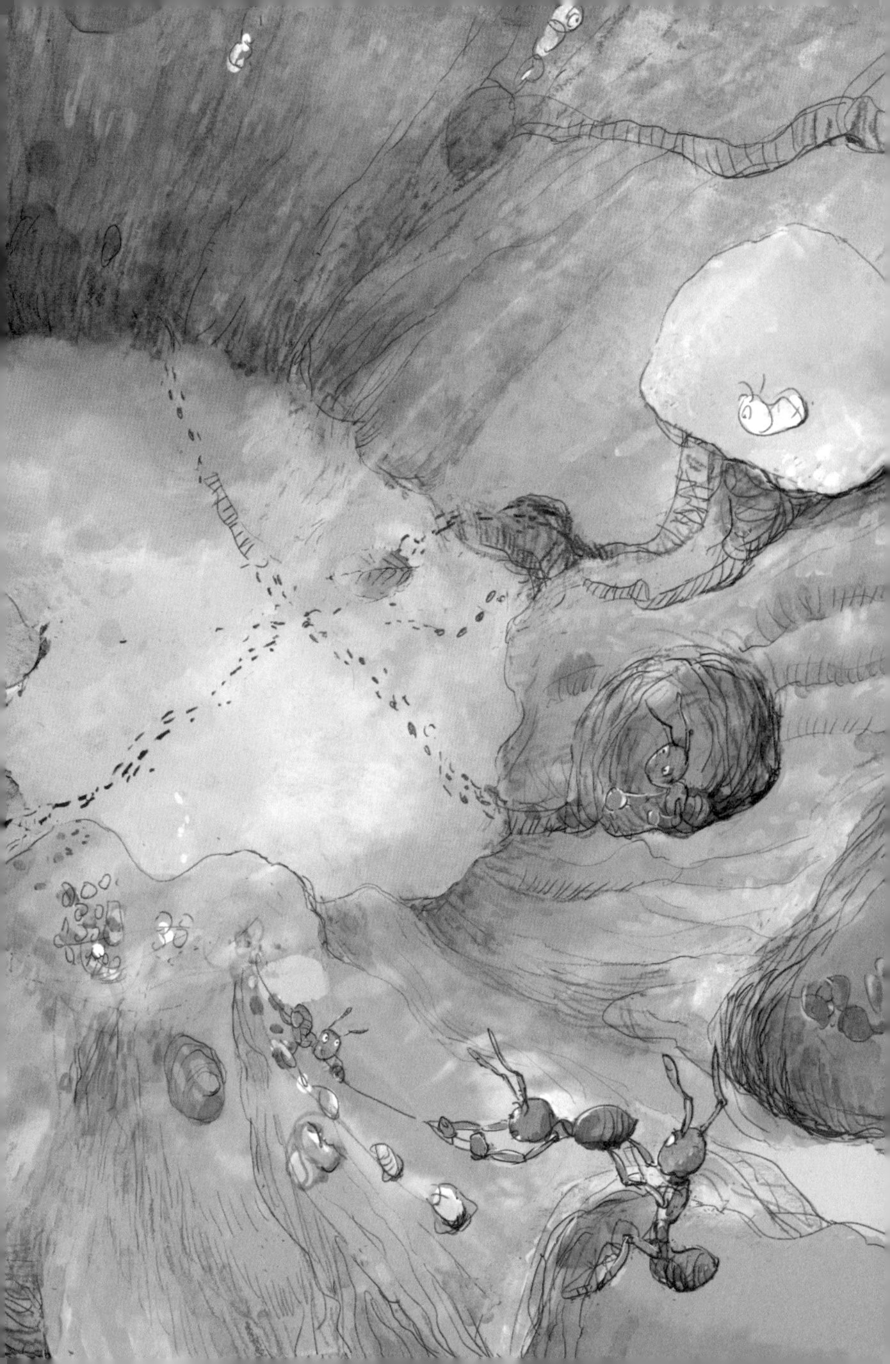

바오밥나무는 천천히 자랐고, 누구보다 튼튼했다.
오랜 세월 같은 자리를 지켜 온 커다란 바오밥나무는,
느~린마을 하면 누구나 떠올리는 존재였다.

느~린마을 곤충들은 모두 바오밥나무를 좋아했다.
바오밥나무는 이들에게 포근한 잠자리가 되어 주고,
풍성한 먹을거리도 주었다. 또한 우기에 물을 흠뻑 빨아들여
몸통에 저장했다가, 가뭄이 들면 곤충들에게 물을 내주었다.
특히 애벌레와 굼벵이들은 바오밥나무에서 노는 것을
좋아했다. 바오밥나무 안에만 있으면 무서울 것이 없었다.
호시탐탐 이들을 노리는 개구리로부터 안전한 피난처가
되어 주고, 낮에는 뜨거운 햇볕을 막아 주었다.
바오밥나무 안에 있는 원형 광장은 곤충들이
함께 어울려 놀고, 마을 일을 토론하는 장소였다.

그래서 이 마을의 곤충들은 바오밥나무가 없는 삶을
상상조차 할 수 없었다. 바오밥나무는 모두가 편하게
쉴 수 있는 안식처이자 재미난 놀이터였다.
곤충들은 지금까지 그랬듯이 바오밥나무가 변함없이
자신들 곁에 있을 거라고 믿었다.

그들은 느~리지만 서로 의지하며 더불어 지냈다.
약하다고 기죽지 않았고, 강하다고 군림하지도 않았다.
그렇게 그들은 평화로웠다.

마중

평화로운 느~린마을에 무슨 일이 일어난 것일까?
한가롭게 바오밥나무 잎을 먹던 애벌레와 굼벵이들이
급히 나무 밑동 쪽으로 내려가기 시작했다. 굼벵이들 중에는
조금이라도 빨리 가려고 몸을 돌돌 말고 구르는 굼벵이도
있었다. 곧 새로운 생명이 태어난다는 소식에 그 모습을
보고자 분주해진 것이다.

느~린마을 주민들의 시선이 바오밥나무 밑동 구석에 있는
풀잎 침대로 쏠렸다. 모두 숨을 죽이고 침대 위의 알을
지켜보았다. 그때였다.

'톡톡.'

드디어 새 생명이 알을 깨고 모습을 드러냈다.

곰지락곰지락, 꼼지락꼼지락, 움직임이 점점 커졌다.

가만히 보니 머리에 안테나 모양의 더듬이를 달고 있는

민달팽이였다.

"와~!"

민달팽이의 등장에 주민들의 탄성이 터졌다.
민달팽이는 순간 멈칫했다. 큰 소리에 겁을 먹었나 보다.
그러나 이내 앞으로 기어 나와서는 더듬이를 쫑긋거리며
말했다.

"안녕! 나를 마중 나와 줘서 고마워!"

주민들은 이 깜찍한 민달팽이에게 '마중'이라는 이름을
지어 주었다. 마중이는 제 이름이 마음에 쏙 들었다.

마중이도 느~린마을의 여느 애벌레나 굼벵이처럼 느~렸다.
하지만 호기심이 많아 마을의 이곳저곳을 다니느라
늘 바빴다. 그러다 마을에 문제가 생기면 앞장서서
해결하고자 노력했다.

'왜 이런 문제가 생겼지? 근본적인 원인이 무엇일까?'

마중이는 문제의 원인을 고민하고, 해결 방법을 찾기 위해 친구들과 토론을 벌였다.

"그래, 그거야!"

해결 방법을 찾으면 마중이는 더듬이를 흔들며 기뻐했다. 마중이에게는 남들과 다른 특별한 재주가 있었다. 마중이는 어디를 가든 독특한 냄새가 나는 끈끈한 액체를 남기며 기어갔다. 이 액체 덕분에 주민들은 멀리서도 길을 잃지 않고 마을로 돌아올 수 있었다.

다른 꿈

느~린마을 주민 모두가 마중이를 좋아했지만, 특히 몇몇은 마중이와 절친한 친구가 되었다. 노래하는 것을 좋아하는 매미 굼벵이 '목청이', 몸에 형형색색의 줄무늬가 있어 '꽃뱅이'라 불리는 딱정벌레 굼벵이, 발레리노가 되고 싶은 호랑나비 애벌레 '미노'는 마중이와 가장 친한 친구들이었다.

서로 생김새도 다르고 꿈도 다르지만 마중이, 목청이, 꽃뱅이, 미노는 늘 함께 어울리며 시간을 보냈다.
어깨동무하고 함께 만든 노래를 부르는 것을
마중이와 친구들은 제일 좋아했다.

나는 민달팽이, 너는 나비
나는 딱정벌레, 너는 매미
생김새는 다르지만 모두 다 소중해
먹고, 놀고, 잔다, 다 함께
우리는 사총사, 우리는 친구
바오밥나무는 우리를 지킨다

너는 민달팽이, 나는 나비
너는 딱정벌레, 나는 매미
꿈은 다르지만 모두 다 소중해
먹고, 놀고, 잔다, 다 함께
우리는 사총사, 우리는 친구
바오밥나무는 우리가 지킨다

목청이, 꽃뱅이, 미노가 마중이의 또래 친구라면,
'미수' 아줌마는 마중이가 믿고 따르는 엄마뻘의 개미였다.
마을 대표로서 마을의 온갖 일을 도맡아 하는 미수 아줌마를
주민들은 모두 신뢰했다. 미수 아줌마는 어떤 일이든
주민들과 대화를 통해 신중하게 판단하고, 한번 결정된 일은
반드시 추진하는 성격이었다. 미수 아줌마는 멀리 일하러
떠난 아들 걱정에 가끔 근심 어린 얼굴을 보일 때도 있지만,
마중이와 친구들에게는 언제나 따뜻하고 인자한 분이었다.

매달 마을 광장에서는 성충이 되어 마을을 떠나는 주민들을
위한 환송회가 열렸다. 오늘 환송회의 주인공은 더 이상
어린 애벌레나 굼벵이가 아닌 성충이 된 매미 목청이,
딱정벌레 꽃뱅이, 나비 미노였다. 광장은 환송회에 참석한
주민들로 북적였다. 미수 아줌마가 주민들 앞에 나서서
말했다.

“여러분! 이제 새로운 세상으로 나아가는 우리 친구들을 위해 박수를 쳐 주세요.”

‘짝짝짝.’

“그럼 오늘 환송회의 주인공들이 인사말을 하겠습니다.”

매사에 당당한 꽃뱅이가 제일 먼저 앞에 나서며 말했다.

"여러분, 저는 친구들과 함께 '이상마을'로 갑니다.
이상마을은 누구든 노력하면 자신이 원하는 꿈을 이룰 수 있는 곳이라고 합니다. 제 할아버지, 아버지 모두 그곳에서 노력하여 기반을 탄탄히 잡고, 성공한 삶을 살고 계신다고 합니다. 저도 그곳에서 반드시 성공할 것입니다.
여러분, 이상마을에 오시면 꽃뱅이를 찾아오십시오.
제가 조금이라도 도움이 되어 드리겠습니다."
"와, 멋지다. 멋져!"
'매애애앰 맴맴.'

주민들은 꽃뱅이의 말에 박수를 보냈다. 환호가 끝나기도 전에 제 차례를 기다리던 목청이가 목소리를 가다듬고는 말했다.

"하하. 제가 허물을 벗고 난 후 목소리가 더 커져서 시끄럽죠? 저는 이상마을에 가서 가수가 될 겁니다. 곧 멋진 가수로 성공할 제 모습을 기대해 주세요."

'짝짝짝.'

요란한 박수 소리가 쏟아졌다. 이제 미노 차례였다. 모두들 미노를 바라보자, 미노는 쑥스러운 듯 얼굴을 붉혔다.

"이상마을이 꿈을 이룰 수 있는 곳이라고 하지만, 전 우리 마을에서 영원히 살고 싶어요. 이곳에서 참 행복했거든요. 하지만 저도 이렇게 날개가 생기고 청년이 되었으니 독립을 해야겠죠. 이상마을에서는 열심히 노력하면 무엇이든 이룰 수 있다고 들었어요. 제 꿈은 발레리노가 되는 거예요. 저는 가진 것도 없고, 그곳에 아는 이도 없지만, 주어진 일에 최선을 다해서 꼭 꿈을 이루겠습니다."

주민들은 미노에게 박수를 아끼지 않았다. 그 박수에는 자신만만한 꽃뱅이와 목청이를 응원할 때와는 다른, 간절함이 담겨 있었다.

환송회가 끝나갈 즈음 목청이, 꽃뱅이, 미노에게
미수 아줌마가 다가왔다.

"얘들아, 혹시 이상마을에 가서 내 아들을 만나게 되면
내 말 좀 전해 줄 수 있겠니? 이제 그만 엄마 곁으로
돌아오라고 말이야. 친구들이 이상마을로 떠날 때마다
부탁을 했는데, 아직도 아들에게서 연락이 없단다."

미수 아줌마의 아들이 이상마을로 떠난 것은 3년 전이었다.
날개가 있는 나비, 딱정벌레, 매미는 마을의 남쪽으로
흐르는 시내를 가로질러 날아가기 때문에 이상마을에
빨리 도착할 수 있었다. 그러나 날개가 없는 개미들은
이상마을에 가려면, 마을 북쪽에 있는 산길로 한참을
걸어가야 했다. 시내를 따라 나뭇잎 배로 가면
한결 빠르게 갈 수 있지만, 도중에 풍랑을 만날 위험이
있었다. 느~린마을에서 태어난 개미들이 성충이 되어서도
마을을 떠나지 않는 것은 이런 이유 때문이다.

하지만 미수 아줌마의 아들은 열심히 일해서 엄마를
호강시켜 드리겠다며 용기를 내어 이상마을로 떠났다.

떠들썩했던 환송회 분위기는 마을을 떠나는 친구들에 대한
걱정과 이별의 아쉬움으로 점점 무거워졌다. 마중이 역시
소중한 친구들과 헤어지는 것이 아쉽고 슬펐지만, 친구들의
꿈을 응원해 주었다.

친구들이 떠나고 난 후, 마중이는 느~린마을에서의 삶이
단조롭게 느껴졌다. 모든 것이 재미없고 지루했다.
마중이는 곰곰이 생각했다.

'뭐가 문제지?'
'친구들이 그리워서?'
'그래, 친구들이 그립긴 해. 하지만 이곳엔 다른 친구들도
있는데 왜 이렇게 허전할까?'

며칠을 고민하던 마중이는 드디어 이유를 알았다.

'나도 이상마을에 가고 싶은 거였어!'

그렇다. 마중이는 시간이 지날수록 느~린마을이 좁게 느껴졌다. 더 넓은 세상은 없을까? 이상마을은 어떤 곳일까? 마중이는 이상마을이 궁금해졌다. 게다가 새로운 환경에 적응하는 것이라면 누구보다 잘할 자신이 있었다. 이상마을에 대한 막연한 호기심은 기대감과 설렘으로 바뀌었다.

'미수 아줌마를 찾아가 상의해 보자.'

마중이는 미수 아줌마에게 자신의 생각을 털어놓았다. 밤새 진지하게 이야기를 나누던 마중이와 미수 아줌마는 며칠 후 느~린마을 주민들과 작별을 고하는 환송회 무대 위에 서 있었다.

대화

주민들은 이상마을로 떠나겠다는 마중이와 미수 아줌마의
결심을 듣고, 처음에는 위험하다며 말렸다.
하지만 미수 아줌마가 누구인가? 모든 일에 신중하지만,
결정을 내리면 무슨 일이 있어도 실천에 옮기는 성격이
아니던가! 그리고 무엇보다 미수 아줌마가 아들을 걱정하며
눈물을 흘리는 모습을 보았던 주민들은 아들을 찾아
떠나려는 그 마음을 이해할 수 있었다. 또한 호기심 많고
무슨 일이든 직접 경험해야 직성이 풀리는 마중이의
성격을 알기에 더 이상 둘을 말릴 수 없었다. 주민들은 혼자
길을 떠나는 것보다 둘이 함께 가는 것이 의지도 되고,
그나마 덜 위험할 거라 생각했다.

주민들은 힘을 합쳐 마중이와 미수 아줌마가 이상마을까지 타고 갈 뗏목을 만들기로 했다. 강한 물살에도 끄떡없을, 크고 튼튼한 뗏목을 만들었다. 그리고 혹시 모를 천적의 공격에 대비하기 위해 몸을 숨길 비밀 공간도 마련하였다.

며칠에 걸쳐 뗏목을 만드느라 모두들 분주한 시간을 보냈다. 마중이와 미수 아줌마는 하루라도 빨리 이상마을로 출발하고 싶었지만, 자신들을 안전한 뗏목에 태워 보내고 싶어 하는 주민들의 마음을 알기에 참고 기다렸다.

"자, 이제 떠나자."

드디어 뗏목이 완성되었다. 마중이와 미수 아줌마는 주민들에게 작별 인사를 한 후 길을 나섰다. 둘은 낯선 여정에 대한 두려움보다 희망에 부풀었다. 느~린마을에서 시작된 시내는 뗏목을 데리고 점점 더 넓은 곳으로 나아갔다.

'이게 말로만 듣던 강이구나!'

뗏목은 강물을 따라 한참을 더 흘러갔다.
마중이와 미수 아줌마가 피곤함에 지쳐 잠시 쉬려고
할 때였다. 갑자기 '쿵' 소리와 함께 뗏목이 크게 흔들렸다.
무언가에 부딪친 걸까? 둘은 본능적으로 위험을 느끼고
비밀 공간으로 몸을 숨겼다. 무슨 일이 일어난 것인지
구멍으로 살펴보니 커다란 생물체가 뗏목 위에 올라타
있었다. 개구리였다.

개구리가 움직일 때마다 뗏목은 크게 기우뚱거렸고,
비밀 공간에 숨어 있는 마중이와 미수 아줌마는 두려움에
떨어야 했다.

뗏목에서 이리저리 움직이던 개구리가 갑자기 멈췄다.
잠시 정적이 흘렀다. 그 순간 개구리의 기다란 혀가
쭈우우욱 나오더니 순식간에 잠자리를 낚아채
입안으로 사라졌다.

'꿀꺽.'

잠자리뿐만이 아니었다. 물 위를 스치듯 뛰어다니던 소금쟁이, 뗏목에 앉아 숨을 돌리려던 풍뎅이, 잠시 물 밖으로 뛰어올랐던 송사리까지 개구리는 날름날름 모두 먹어 치웠다. 듣던 대로 피도 눈물도 없는 사냥꾼이었다.

'풍덩.'

얼마나 시간이 흘렀을까? 드디어 개구리가 큰 소리를 내며 물속으로 사라졌다.

마중이와 미수 아줌마는 눈앞에서 개구리의 위협을 목격하고 나니 안전한 뗏목을 만들어 준 친구들에게 다시 한번 고마운 마음이 들었다. 그리고 느~린마을에서의 삶이 얼마나 안락한 것이었는지 새삼 깨달았다.
그러나 느~린마을로 돌아가고 싶지는 않았다.
오히려 미수 아줌마는 아들이 걱정되어 하루라도 빨리 이상마을에 닿고자 했고, 마중이는 새로운 곳에서 어떤 일들이 기다리고 있을지 기대되었다.

한참이 지나 마중이와 미수 아줌마를 실은 뗏목이
어느 강가에 다다랐다. 뗏목에서 내린 둘은 풀숲에서
잠시 쉬다 깜빡 잠이 들었다.

"안녕하세요?"

어디선가 들리는 소리에 눈을 떠 보니, 보랏빛 나비가
서 있었다.

"안녕하세요. 저는 마중이라고 해요."
"저는 '보라'라고 합니다. 멀리서 오신 분들 같은데, 어디로
가시는 건가요? 지금 이 길로 쭉 가면 이상마을인데…….
혹시 그곳에 가시나요?"
"네, 저희는 이상마을로 가는 중이에요. 다행히 제대로
가고 있었네요."

보라 아저씨가 고개를 끄덕이며 말했다.

"앞으로도 하루는 꼬박 더 가야 이상마을에 도착할 수 있어요. 그런데 그곳엔 왜 가려는 거죠?"

"저희는 느~린마을에서 왔어요. 전 3년 전에 이상마을로 일하러 간 아들을 찾으러 가는 길이에요."

"전 제 꿈과 친구를 찾아가는 거예요. 친구들이 이상마을로 떠나고 나니 맛나던 바오밥나무 잎도 먹기 싫고, 하루하루가 너무 지루했어요. 게다가 이상마을은 누구든 노력하면 꿈을 이룰 수 있는 곳이라고 들었어요. 전 그곳에서 성공해서 친구들과 함께 행복하게 살고 싶어요."

마중이는 신이 나서 친구들 이야기를 한참 떠들었다. 그런데 둘의 이야기를 듣는 보라 아저씨의 얼굴이 점점 어두워졌다. 보라 아저씨는 잠깐 망설이더니 조심스레 말을 꺼냈다.

"저도 느~린마을 출신입니다. 그리고 얼마 전까지 이상마을에서 살았습니다."
"그러시군요. 고향 분을 만나다니 정말 반가워요."
"네, 저도 오래전에 꿈에 부풀어 이상마을로 향했지요. 그런데 이상마을은 제 상상과 달리 거대한 맷돌 같은 곳이었어요. 곤충들은 그곳에서 고된 생활로 삶이 망가지고 있지만, 아무 말 못하고 순응하며 살고 있죠."

마중이와 미수 아줌마는 전혀 예상치 못한 보라 아저씨의 말에 소스라치게 놀랐다. 그러나 그 말을 그대로 믿기는 힘들었다. 지금까지 이상마을에 대해 그렇게 말한 이가 아무도 없었기 때문이다.

"보라 님 말이 사실이라면, 왜 모두들 이상마을에 대해 좋은 말만 하고, 다들 그곳에 가고 싶어 하는 거죠?"
"저도 믿기지 않아요. 아저씨가 살다 온 곳이 정말 이상마을이 맞나요?"

보라 아저씨는 차분하게 설명해 주었다.

"네, 저도 꿈을 이룰 수 있는 곳으로 알고 이상마을에 갔었죠. 듣던 대로 그곳에는 크고 화려한 건물과 다양한 물건들이 많고, 먹을 것 역시 풍부했어요. 겉으로 보면 누구나 살고 싶은 멋진 곳이었죠."
"그런데요?"

"그런 마을을 만들기 위해 곤충들 대부분은 죽도록 일만 해야 하죠. 그렇게 일을 해도 삶은 전혀 나아지지 않고, 화려하고 멋진 삶을 누릴 수 있는 곤충은 지극히 소수일 뿐이에요. 저도 죽도록 일만 하다 더 이상 견디기 힘들어 떠나온 거랍니다."

보라 아저씨의 말을 들은 미수 아줌마의 얼굴은 하얗게 질렸다. 그런 끔찍한 곳에 내 아들이 있다고 생각하니 마음이 더욱더 불안해졌다. 그러나 마중이의 생각은 달랐다.

'그래, 그거야! 비록 소수지만 성공해서 행복한 삶을 사는 곤충도 있다는 거잖아. 열심히 노력하면 성공할 수 있어. 노력하지 않고 능력도 없으면 힘들게 사는 것이 당연하잖아. 보라 아저씨는 실패했지만 난 할 수 있어. 아니, 보란 듯이 해낼 거야! 보라 아저씨의 실패는 아저씨의 능력 탓이지, 마을 탓은 아니잖아.'

마중이는 노력하면 노력한 만큼 대가를 받고, 게으르면 불이익을 받는 게 공정한 것이라고 생각해 왔다. 그래서 보라 아저씨의 말은 노력하지 않은 실패자의 변명일 뿐이라고 생각했다. 이런 마중이의 생각을 아는지 모르는지 보라 아저씨가 말했다.

"저는 이상마을의 실상을 느~린마을에 알리러 가는 길이에요. 느~린마을 주민들에게 헛된 꿈을 꾸며 이상마을에 가는 것이 얼마나 위험한지 알려 주려고요. 그러니 저와 함께 느~린마을로 돌아가요."

"아뇨!"

마중이와 미수 아줌마가 동시에 외쳤다. 그리고는 서로 놀란 눈으로 쳐다보았다. 미수 아줌마는 한시바삐 아들을 구하러 가야 한다는 생각뿐이었다. 이상마을이 위험하다면 더더욱 그곳에 가야 했다. 반면 마중이는 이상마을에서 자신이 성공할 수 있다는 것을 빨리 증명해 보이고 싶었다.

보라 아저씨는 둘의 결연한 표정과 목소리에 더 이상 말려도 소용없다는 것을 알았다. 어쩔 수 없이 근심스러운 얼굴로 돌아서던 보라 아저씨는 무엇인가 생각난 듯 마중이에게 당부의 말을 남겼다.

“마중아, 우정은 위험에 맞서는 가장 좋은 방패란다.
너와 우정을 나눈 좋은 친구들이 있다니 다행이야.
하지만 우정은 절대 불변의 것이 아니라는 점을 명심하렴.
혹시라도 우정이 변했다고 느껴진다면, 친구를 탓하기 전에
친구가 어떤 상황에 처해 있는지 살펴보렴. 내 말 잊지 마.
그럼 안녕.”

보라 아저씨는 알듯 말듯 한 말을 남기고 훨훨 날아갔다.
마중이는 자신과 친구들의 우정은 결코 변하지 않을 것이라
믿었다. 그래서 우정이 변할 수 있다는 보라 아저씨의 말은
자신과 친구들을 잘 모르고 하는 소리라고 생각했다.

마중이와 미수 아줌마는 길을 재촉했고, 다음 날 늦은 저녁
드디어 이상마을에 다다랐다.

2부

목소리

삶

마중이와 미수 아줌마는 뗏목에서 내려 언덕을 한참 올랐다. 이상마을 입구에 크게 쓰여진 문구를 보자 마중이는 가슴이 벅차올랐다.

'누구나 노력하면 꿈을 이룰 수 있는 이상마을에 오신 것을 환영합니다.'

무사히 도착했다는 안도감에 숨을 고르며 마을을 내려다보던 마중이의 눈이 휘둥그레졌다. 밤이 깊었지만 이상마을은 마치 낮처럼 환했다. 수천수만 마리의 반딧불이 빛을 내며 날고 있었기 때문이다. 마중이와 미수 아줌마는 반딧불이 불빛에 비친 이상마을의 전경을 바라보았다. 마중이의 눈에 비친 이상마을은 환한 반달 모양이었고, 멀리서도 눈에 띄는 높은 탑이 있었다.

화려한 마을 모습에 마중이는 빨리 그곳에 가고 싶었다.
함께 마을을 바라보던 미수 아줌마는 작게 중얼거렸다.

"아무래도 내 아들은 저 어두운 동네에 있을 것 같구나.
동쪽 동네에 가 봐야겠다."

그제야 마중이에게도 환한 빛에 가려 미처 보지 못했던
이상마을의 어두운 반쪽이 보였다. 그러나 마중이는
어두워서 건물조차 보이지 않는 동쪽 동네보다는 밝은
서쪽 동네가 더 궁금했다. 화려한 불빛과 높은 탑이 있는
그곳에는 마중이가 지금껏 경험해 보지 못한 재미난 일이
벌어지고 있을 것 같았다. 그러나 마중이는 서쪽 동네로
가 보고 싶다는 말을 선뜻 꺼낼 수 없었다.
미수 아줌마가 아들을 찾을 때까지 함께하며 도와드려야
한다는 의무감 때문이었다. 이런 마중이의 마음을 알았는지
미수 아줌마는 여기서부터 따로 움직이자고 제안했다.

"마중아, 너는 서쪽 동네로 가 보렴."
"아니에요. 아줌마 아들 찾는 것을 도와드릴게요."
"아니야, 여기까지 같이 와 준 것만으로도 큰 힘이 되었어.
고마워. 넌 서쪽 동네로 가서 친구들을 만나 보렴."

마중이는 같이 가겠다며 한참을 버텼지만, 미수 아줌마의
뜻을 꺾을 수는 없었다.

"그럼 저는 우선 서쪽 동네로 가서 친구들부터 찾아볼게요."
"그래, 우리 나중에 저 높은 탑 아래서 다시 만나자.
내 걱정하지 말고, 그때까지 잘 지내렴."

마중이는 미수 아줌마와 헤어진 후 이상마을의 서쪽 동네로
향했다. 목청이, 꽃뱅이, 미노를 만날 생각을 하니 마음이
설렜다.

'컬럭컬럭.'

마중이는 갑자기 기침이 났다. 좀처럼 기침을 하는 일이 없던
마중이는 순간 의아했지만, 친구들을 만날 생각에
다시 걸음을 재촉했다. 바로 그때 익숙한 소리가 들려왔다.

'맴맴, 매애앰~. 맴맴, 매애앰~.'
"목청이다!"

마중이는 반가운 마음에 소리쳤다. 그러나 자세히 들어 보니
목청이의 소리와는 미묘하게 달랐다. 하지만 적어도 저 소리의
주인공은 목청이가 어디에 있는지 알고 있을 것만 같았다.

"안녕하세요! 저는 느~린마을에서 온 마중이라고 해요.
혹시 제 친구 목청이를 아시나……."

인사를 건네던 마중이는 자신을 쳐다보지도 않고
노래만 부르는 매미의 모습에 멈칫했다. 마중이는 목청을
가다듬고 더 큰 목소리로 말을 건넸다.

"안녕하세요!"

그러나 매미는 여전히 마중이에게 눈길조차 주지 않았고,
노래도 멈추지 않았다.

'내 소리가 안 들리는 건가? 더 가까이 가 보자.'
"저기요오~. 안녕하세요!"

마중이는 배에 힘을 주고 더 크게 외쳤다. 그제야 매미는
마중이를 흘깃 쳐다보더니 노래는 멈추지 않은 채
손을 들어 잠시 기다리라는 표시만 했다.

"안녕하세요. 저에게 할 말이 있으신가요?"

한참 후에야 노래를 멈춘 매미가 마중이에게 물었다.
노래할 때와는 달리 쉰 목소리였다.

"네, 매미 님."

"미안해요. 제가 근무시간이라서 아는 척 할 수가 없었어요. 근무 중에는 일에만 집중해야 하거든요."

"사랑 노래를 부르시는 줄 알았는데 일을 하고 계신 거였군요."

"네, 저 아래 일하고 있는 개미들이 보이죠? 제 구령에 맞춰 일하는 거라서, 제가 잠시라도 노래를 멈추면 일을 제때 끝마칠 수가 없어요."

"제 친구 매미는 노래 부르는 것 말고는 다른 일에 관심이 없던데, 이상마을의 매미 님은 많이 다르시……."

"쉿!"

갑자기 매미가 마중이에게 조용히 하라는 신호를 보냈다. 그때 주변이 환해지면서 반딧불이 지나갔다. 반딧불이 멀리 사라지자, 매미가 목소리를 낮추어 조심스레 말했다.

"반딧불이는 우리를 감시하는 일을 하죠. 조금이라도 일을 게을리하거나 딱정벌레를 욕하면 바로 공격한답니다. 참, 그런데 왜 저를 부르신 거죠?"

“아, 고향 친구를 찾고 있는데 혹시 아시나 싶어서요. 목청이라고 당신과 같은 매미예요.”

“목청이? 잘 알죠. 여기서 멀지 않은 구역에서 저와 같은 일을 하고 있어요. 조금만 기다리세요. 제가 집에 가는 길에 당신이 찾아왔다고 전해 줄게요.”

목청이가 공사 현장에서 일을 하고 있다니 의외였다. 가수가 되었거나 노래 학원에 다니고 있을 거라 생각했는데, 왜 가수와는 상관없는 일을 하고 있는 것인지 궁금해졌다. 마중이는 목청이에게 자세한 사정을 들어 보리라 생각하며 목청이가 오기만을 기다렸다. 오래지 않아 목청이가 왔다.

"목청아~!"
"마중아, 네가 어떻게 여기에 온 거야?"

둘은 반갑게 서로를 맞았다. 그런데 오랜만에 만난 목청이는
아까 그 매미처럼 쉰 목소리를 내고 있고, 많이 지쳐 보였다.
목청이는 여전히 가수의 꿈을 꾸고 있지만 우선은 돈을
벌어야 해서 일을 하고 있다고 했다. 느~린마을과 달리
이상마을에서는 하루하루 먹고사는 문제를 걱정해야
하기 때문에 일을 해야 한다고 한다. 모든 풀과 과일,
그리고 나무에는 주인이 있기 때문에 돈이 있어야만
사 먹을 수 있다고 한다. 참 이상한 곳이다.

"참, 꽃뱅이와 미노는 어떻게 지내? 여기서도 자주 만나?"
"아니, 자주 만나지는 못해. 미노도 나처럼 돈을 벌기 위해
배달 일을 하는데 일이 너무 많아서 만날 시간이 없어.
툭하면 한밤이나 새벽까지 일을 해야 하거든."

마중이는 미노 소식에 저도 모르게 한숨이 나왔다.
나비는 밤에 잠을 꼭 자야 하는데, 그 시간까지 일을 해야
하다니……. 게다가 무거운 물건을 옮기다 미노의 날개가
찢기거나 하는 것은 아닐지 걱정되었다.

"여기서는 일하느라 친구를 만날 시간도 없고,
친구를 만나는 것이 바람직하지도 않아."
"친구를 만나는 게 바람직하지 않다고? 그게 무슨 말이야?"

마중이의 물음에 목청이는 그 문제는 차차 이야기하자며
얼버무렸다. 그러면서 오늘은 너무 늦었으니 일터 근처에
있는 임시 숙소에서 함께 자는 게 어떻겠냐고 했다.
마중이는 빨리 쉬고 싶은 마음과 오랜만에 친구와 함께
있을 생각에 신이 나서 흔쾌히 목청이를 따라갔다.
잠자리에 들기 전, 목청이가 말했다.

"마중아, 나는 내일 새벽에 일하러 나가야 해. 네가 일어나기
전에 숙소를 나서게 될 거야. 음……, 그리고 아마 미노를
만나기는 쉽지 않을 거야."
"그래? 그럼 일단 내일은 꽃뱅이를 먼저 찾아가야겠다."
"……. 그래, 한번은 만나 봐야지. 마을 한가운데에
높은 탑이 있어. 거기가 꽃뱅이가 사는 곳이야."
"아, 그곳이라면 나도 알아. 이상마을 어디서든 그 탑이
잘 보이더라."

"응, 바로 그 건물이야. 꽃뱅이를 만나더라도 너무 놀라지는 말고."

오랜만에 만난 목청이는 이해할 수 없는 말을 많이 했다. 마중이는 목청이에게 묻고 싶은 것이 많았지만, 새벽 일찍 일하러 간다는 말이 생각나 입을 다물었다.

아침에 일어나니 목청이는 보이지 않고, 목청이가 남긴 편지가 놓여 있었다.

내 친구 마중아,

만나서 정말 반가웠어.
이상마을에서 꿈을 꾸는 것은 자유야.
하지만 꿈은 꿈일 뿐, 꿈을 실현하는 것은
거의 불가능해. 이 마을에서 꿈을 이룰 수 있는
동물은 아주 소수야. 내가 친구로서 너를 위해
해 줄 수 있는 유일한 말은 더 늦기 전에
느~린마을로 돌아가라는 거야.
미안해.

네 친구 목청이가.

무슨 말인지 이해하기 어렵기는 목청이의 말이나 편지나 크게 다를 바가 없었다. 소수 외에는 꿈을 실현하는 것이 불가능하다니. 그러고 보니 이상마을로 오는 길에 만난 보라 아저씨도 비슷한 말을 했던 것이 기억났다.

'그래도 누군가는 꿈을 이룰 수 있다는 말이잖아. 그렇다면 내가 성공할 수도 있는 거잖아. 우선 꽃뱅이를 만나러 가 보자. 높은 탑에 사는 걸 보니 꽃뱅이는 꿈을 이룬 것이 분명해. 꽃뱅이는 내게 희망을 줄 거야.'

거드름

꽃뱅이의 집은 멀리서 보던 것보다 더 크고 화려했다. 굳게 닫힌 정문의 창살 너머 높은 탑이 보였다. 드디어 가까이서 탑을 볼 수 있게 되었지만, 밖에서 아무리 들여다보아도 탑 안은 캄캄하기만 할 뿐, 아무것도 보이지 않았다.
검은 커튼이라도 친 것일까?

'저 탑의 꼭대기까지 가려면 한참을 올라가야 하겠네.
그나저나 이 철문 안으로는 어떻게 들어가지?'

그때 누군가가 앞을 가로막았다. 반딧불이였다.

"무슨 일로 온 거지?"

"친구를 만나러 왔어요. 저는 마중이라고 합니다."

"친구 누구?"

"꽃뱅이라고……."

"아, 꽃뱅이 님의 친구시군요!"

꽃뱅이의 이름이 나오는 순간 반딧불이의 말투가 공손하게 바뀌었다. 잠시만 기다리라며 사라졌던 반딧불이 곧 돌아와 문을 열어 주었다.

"한번 만나 주시겠답니다."

"네?"

"꽃뱅이 님이 들어오시래요. 그런데 마중 님의 걸음이 느리니 저희가 끄는 수레에 타십시오."

마중이는 반딧불이 여덟 마리가 끄는 수레에 올랐다. 난생처음 하늘을 날자 기분이 우쭐해졌다. 저 아래서 일하고 있는 개미들의 모습이 작은 점처럼 보였다. 그렇게 도착한 응접실은 으리으리했다. 마중이는 꽃뱅이를 만나러 탑에 들어올 때만 해도 내심 탑의 이곳저곳을 구경할 수 있을 거라 기대했다. 그러나 탑의 중간층에 위치한 응접실 외의 다른 곳은 철저하게 출입을 통제하고 있었다. 마중이는 꽃뱅이가 오기까지 응접실에서 한참을 기다렸다.

나는 민달팽이, 너는 나비
나는 딱정벌레, 너는 매미
생김새는 다르지만 모두 다 소중해
먹고, 놀고, 잔다, 다 함께
우리는 사총사, 우리는 친구
바오밥나무는 우리를 지킨다

마중이는 꽃뱅이를 기다리면서 느~린마을에서 함께 부르던
노래를 흥얼거렸다. 꽃뱅이를 만나면 느~린마을에서
그랬듯이 어깨동무를 하고 이 노래를 함께 부르고 싶었다.

한참 후에 나타난 꽃뱅이는 예전 모습 그대로였지만,
번쩍이는 금장식의 옷 때문인지 낯설게 느껴졌다.

“어이, 친구. 오랜만이군. 하하하.”
“으응, 꽃뱅아. 반가워.”

마중이는 오랜만에 만난 꽃뱅이가 반가우면서도,
그의 크고 화려한 집과 옷차림에 자꾸 기가 죽었다.
꽃뱅이의 거침없고 당당한 목소리는 여전했다.

"왜 이렇게 초췌해졌어? 그동안 힘들었던 거야?
이제 걱정하지 마. 내가 있잖아. 여기는 내 왕국이나
마찬가지야. 내가 마음만 먹으면 못할 게 없지.
목청이와 미노도 다 내가 취직시켜 준 거야. 미노가
열심히 일하지 않아서 좀 걱정이긴 하지만 말이야."
"그래? 여기서도 미노를 자주 만나?"
"요즘은 못 만났지. 내게 연락을 잘 하지 않더라고.
사실 요즘 미노가 불성실하다는 보고가 계속 올라와서
골치야. 심지어 미노는 내가 자신에게 나쁜 일자리를
소개했다며 나를 욕하고 다니는 모양이더군.
고향 친구라고 다 믿을 수 있는 것은 아닌가 봐."

거들먹거리며 말하는 꽃뱅이는 마중이가 그리워했던
그 꽃뱅이가 아니었다. 느~린마을에서도 꽃뱅이는
모든 일에 자신만만하고, 늘 자기 자랑을 하곤 했다.
하지만 이렇게 친구를 무시하는 태도를 보이지는 않았다.

변해 버린 꽃뱅이의 모습에 마중이는 씁쓸해졌다.

그러나 꽃뱅이는 마중이의 기분 따위는 아랑곳하지 않고 자신의 말만 계속했다.

"내가 이상마을에서 어떤 일을 하고 있는지 궁금하지?
나는 이 마을을 위해 밤낮으로 헌신하고 있어.
여기 주민들이 가장 두려워하는 것이 뭔지 알아? 배고픔?
그것도 맞는 말이긴 하지. 먹어야 살 수 있으니까.
그래서 나는 이곳 주민들이 먹고살 수 있도록 많은
일자리를 제공하고 있지. 그런데 배고픔보다 더 무서운 게
있어. 바로 개구리야. 주민들은 이 마을을 호시탐탐 노리는
개구리를 가장 두려워해. 개구리로부터 마을을 지키는 일을
바로 내가 하고 있지. 대단하지 않아?"

마중이는 이상마을로 오는 길에 만났던 개구리를 떠올렸다.
생각만 해도 몸서리치도록 무시무시한 개구리를 꽃뱅이가
물리친다고?

"네가 개구리를 사냥한다고? 어떻게?"

꽃뱅이는 마중이의 질문을 기다렸다는 듯이 무용담을
늘어놓았다.

"개구리를 사냥할 때는 뒤에서 몰래 지켜보다가 살짝 개구리 꽁무니에 올라타는 거지. 나는 뛰어오르기 명수거든. 사뿐히 올라타면 대부분의 개구리들은 알아차리지도 못해. 물론 안다고 해도 소용없어. 녀석이 아무리 몸을 흔들어도 나는 찰싹 붙어 절대 떨어지지 않고 버티거든. 그리곤 틈을 봐서 개구리의 등 쪽 힘줄을 씹어서 끊어 버리지. 그제서야 멍청한 개구리는 눈을 멀뚱멀뚱 뜨며 움직이려고 하지만 이미 때는 늦었지. 개구리는 더 이상 마음대로 몸을 움직일 수 없게 되거든. 그러면 싸움은 완전히 끝나는 거지."
"와, 너 대단하다!"

마중이의 반응에 신이 난 꽃뱅이는 말을 이어갔다.

"개구리를 사냥하러 갈 때는 개미들과 매미도 데리고 가. 싸움이 끝나면 매미가 신호를 보내. 그러면 개미들이 와서 개구리의 몸을 잘게 잘라서 운반을 하지. 그렇게 얻은 개구리 고기는 주민들의 중요한 식량이 되거든."

마중이는 꽃뱅이의 이야기에 감탄했다. 꽃뱅이가 친구라는 사실이 자랑스럽게 느껴지기까지 했다.

"마침 오늘 밤에 개구리를 사냥하러 갈 건데, 너도 같이 갈래?"
"아, 아, 아니, 난 우선 일자리와 숙소를 구해야 해."

마중이는 꽃뱅이의 활약을 보고 싶었지만, 무시무시했던 개구리의 모습이 떠올라 주춤했다. 꽃뱅이의 얼굴에 알 수 없는 미소가 스쳤다.

"어이, 친구. 그러고 보니 손님이 오기로 약속이 돼 있었는데 내가 깜빡 잊고 있었어. 아무튼 다시 만나서 반가웠어. 내 도움이 필요하면 언제든지 찾아와."
"아, 아, 알았어."

마중이는 거드름을 피우는 꽃뱅이의 태도에 하마터면 존댓말을 할 뻔했다.

"참, 나갈 때는 뒷문으로 나가 줄래? 곧 약속한 손님이 올텐데, 서로 마주치면 곤란해서……. 다른 곤충들은 우리가 고향 친구라는 사실을 모르니까 말이야. 우리는 친구니까 평등한 관계인데, 다른 곤충들은 겉모습만을 보고 판단하거든. 그래서 말인데 다음부터는 경비원에게 미리 약속을 잡고 찾아오도록 해."

마중이는 반딧불이의 안내를 받으며 뒷문으로 향했다.
꽃뱅이를 만난 후 마중이는 마음이 복잡했다. 성공한
꽃뱅이의 모습이 반가우면서도 예전과는 다른 꽃뱅이의
태도에 씁쓸한 기분이 들었다. 문득 이상마을로 오는 길에
만난 보라 아저씨의 말이 생각났다.

'우리 우정도 변한 것일까?'

꽃뱅이의 집 뒷문 근처에서는 개미들이 분주하게 움직이며
일하고 있었다. 간간이 매미들의 구령 소리가 들렸고,
반딧불이 그 위를 날아다니고 있었다. 지난밤 매미가
말해 준 대로 개미와 매미를 감시하는 모양이었다.
마중이는 뒷문을 지키고 있는 반딧불이에게 물었다.

“모두들 열심히 일하고 있네요. 무엇을 짓고 있는 건가요?”

“곡식을 넣어 둘 창고를 짓고 있어. 곡식은 많은데 창고가 항상 부족하거든. 여기에서 일하고 싶어?”

마중이는 반딧불이의 갑작스런 제안이 반가웠지만, 선뜻 대답하지 못했다. 꽃뱅이의 집에서 일하려면 꽃뱅이의 허락을 먼저 받아야 할 것 같아 주저되었다. 마중이가 머뭇거리고 있을 때 갑자기 매미의 날카로운 울음소리가 들렸다. 사고가 났음을 알리는 신호였다. 반딧불이 중얼거렸다.

“오늘만 벌써 세 마리째군. 쯧쯧, 법대로 관리를 하고 있는데 왜 자꾸 사고가 나는 건지 이해할 수가 없네.”

마중이는 개미들이 일을 하다 죽는다는 사실에 충격을 받았다. 그러나 더 놀라운 것은 동료의 죽음을 대수롭지 않게 여기는 반딧불이의 태도였다.

한편 마중이가 떠나고 얼마 지나지 않아 꽃뱅이와 약속을 한 손님이 탑 꼭대기에 있는 회의실에 도착했다. 그는 다름 아닌 목청이였다. 목청이는 꽃뱅이에게 다가와 속삭이듯 말했다.

“개구리 님을 잘 만나고 왔어.”
“쉿!”

이야기를 나누기 전에 꽃뱅이는 회의실 창문에 굳게 드리워진 커튼을 다시 한번 확인하고는 돌아와 앉았다. 그리고 둘은 오랫동안 귓속말로 속삭였다.

'꼬르륵, 꼬르륵'

꽃뱅이의 집을 나와 터벅터벅 걷던 마중이는 허기가 느껴졌다. 그제야 마중이는 꽃뱅이가 물 한 모금도 대접해 주지 않았다는 것을 깨달았다. 긴장이 풀리고 배까지 고프니 갑자기 설움이 복받쳤다. 목청이는 꽃뱅이가 변한 것을 알고 있었을까? 내가 이런 대접을 받을 것을 알고 놀라지 말라고 한 걸까?

마중이는 미노를 만나고픈 생각이 더 간절해졌다. 미노는 자신을 따뜻하게 맞아 줄 것 같았다. 미수 아줌마도 생각났다. 지금쯤 미수 아줌마는 아들을 만났을까?

마중이는 자신에게 어떤 미래가 기다리고 있을지 조금 두려워졌다.

아무도 말하지 않았다

며칠 동안 마중이는 일자리를 찾아 이상마을 곳곳을 다녔다. 그러나 기회의 땅처럼 보였던 이상마을에는 마중이를 환영하는 일터가 없었다.

'내가 이런다고 포기할 줄 알아? 내가 누구야? 느~린마을에서 적극성과 끈기라면 따라올 자가 없는 마중이라고!'

마중이는 스스로를 다독이며 일을 찾아 여기저기 문을 두드렸다. 그러나 어디서도 일을 구할 수 없었다. 느리다고 거절당하기도 하고, 징그럽게 생겼다며 마중이의 외모를 흠잡는 곳도 있었다. 어디서는 일을 해 본 경력이 없다고 머리를 절레절레 흔들었고, 다른 마을에서 왔기 때문에 믿을 수 없다는 이유로 거절당하기도 하였다.

결국 마중이는 가장 하고 싶지 않은 선택을 할 수밖에 없었다. 마중이는 꽃뱅이의 집으로 향했다. 경비원인 반딧불이 마중이를 가로막았다.

“저는 꽃뱅이의 친구인데, 꽃뱅이를 만나러 왔어요.”
“주인님이 아무나 들여보내지 말라고 했습니다. 특히 친구라고 하는 자들을 조심하라고 했습니다.”
“마중이가 왔다고 전해 주세요. 전에 만났을 때 꽃뱅이가 언제든 다시 찾아오라고 했어요.”
“그럼 일주일 뒤에 다시 오세요. 만날 수 있을지 장담은 할 수 없지만…….”

일주일 후, 어렵게 다시 만난 꽃뱅이는 전보다 더 차갑게 마중이를 대했다. 그러면서 마중이의 부탁에 친구라서 특별히 일자리를 주는 것이라며 생색을 냈다.

꽃뱅이는 마중이에게 뒤뜰 창고 공사 현장의 임시 경비원 일을 맡겼다. 일을 잘하면 공사가 끝난 후에 창고지기로 정식 채용해 주겠다고 했다. 마중이는 꽃뱅이가 고마웠다.

'그래, 여기서부터 시작하는 거야. 임시직이면 어때? 지금부터 열심히 일하면 나도 성공할 수 있어.'

공사 현장은 체계적으로 돌아갔다. 개미는 매미의 구령에 맞춰 일했고, 이들을 단속하는 반딧불이의 감시망은 촘촘했다. 그러나 하루가 멀다 하고 사고로 죽어 나가는 개미들의 행렬을 막지는 못했다. 개미들은 공사 현장에서 떨어져 죽고, 끼여 죽고, 깔려 죽었다.

계속되는 동료들의 죽음을 지켜보면서 마중이는 이상한 점을 발견했다. 사고가 날 때마다 공사 현장의 곤충들이 꽃뱅이가 있는 탑을 의식하며 눈치를 살피는 것이었다. 탑 내부가 보이지 않아 꽃뱅이가 공사 현장을 내려다보고 있는지는 알 수 없었다. 하지만 곤충들은 사고가 나면 꽃뱅이가 이를 알까 안절부절못하는 모습이었다. 어느새 마중이도 사고가 났다는 소식을 들으면 가장 먼저 탑을 쳐다보게 되었다.

"오늘 꽃뱅이 님과의 토론회가 열립니다. 평소 일하면서 느낀 어려움이나 불만 사항을 자유롭게 이야기 나눌 수 있는 자리이니, 모두 빠짐없이 참석해 주십시오."

어느 날, 매미들이 큰 소리로 토론회가 열림을 알렸다. 그 소식에 마중이는 안도의 한숨을 내쉬었다.

'그럼 그렇지. 그동안 목숨을 잃은 개미가 몇인데, 아무 일도 없었다는 듯이 그냥 지나갈 리 없지. 내가 알던 꽃뱅이라면 더 이상 사고가 나지 않도록 방법을 찾을 거야.'

드디어 토론회 시간이 되었다. 마중이는 오랜만에 꽃뱅이를 만날 수 있을 거라 기대했으나, 꽃뱅이는 토론회장에 나타나지 않았다. 갑작스레 방문한 중요한 손님을 만나느라 오지 못했다고 한다.
그런데 토론회에는 꽃뱅이만 없는 것이 아니었다.
말하는 이가 아무도 없었다. 마치 아무 일 없다는 듯,
어느 누구도 입을 열지 않았다.

토론회가 끝나고 모두가 썰물처럼 빠져나간 후에도 마중이는 한참을 자리에 남아 있었다. 자신의 기대와는 다른 상황이 이해되지 않았다.

'뭐가 문제지?'

하지만 아무리 생각해도 무엇이 문제인지 정확한 답을 찾을 수 없었다.

그렇게 몇 개월의 시간이 지나갔다. 이제 마중이는 경비원 일에 꽤 익숙해졌다. 하지만 보고도 못 본 척 아무 말 않고, 듣고도 못 들은 척 아무 말 않는 것에는 여전히 적응하기 힘들었다. 그래서일까? 마중이는 점점 말수가 줄고, 몸도 야위었다. 이상마을에 오고 나서 시작된 기침도 갈수록 잦아졌다.

'똑똑똑.'
"마중 씨, 계신가요?"

어느 저녁 누군가 마중이의 숙소 문을 두드렸다. 마중이가 문을 여니 개미 몇몇이 서 있었다. 공사 현장에서 본 적 있는 동료들이었다.

"마중 씨 몸이 많이 안 좋다는 소식을 듣고 걱정되어 왔습니다."

방 안으로 들어온 개미들 손에는 어디서 구했는지 바오밥나무 잎이 들려 있었다.

'바오밥나무!'

그리운 느~린마을의 바오밥나무 잎을 보자 마중이는 눈물이 핑 돌았다.

"마중 씨, 이곳 생활이 어떠세요?"

마중이는 개미의 질문에 어떤 대답을 해야 할지 순간 고민했다. 아픈 자신을 위해 귀한 바오밥나무 잎까지 들고 찾아와 준 동료들이 고마웠지만, 속마음을 솔직하게 내보여도 될지 망설여졌다.

"꽃뱅이 씨가 배려해 준 덕에 잘 지내고 있……."
"허, 꽃뱅이가 배려를 한다고요? 그 몹쓸 녀석이……."

마중이의 말이 채 끝나기도 전에, 한 개미가
꽃뱅이의 이름에 화를 참지 못하고 말했다. 다른 개미가
이를 말리며 인사를 건넸다.

"저는 일개미인 '일만이'라고 해요. 지난번 토론회에서
마중 씨가 마지막까지 자리를 뜨지 못하는 모습을 봤습니다.
그때 무슨 생각을 하셨어요?"

결국 마중이는 솔직한 생각을 털어놓았다.

"모두 힘들어하면서 왜 토론회에서는 아무도 힘들다고
말하지 않는지 이해할 수 없었습니다."
"그건 그 자리가 토론회란 핑계로 누가 불만을 갖고 있는지
찾아내려는 자리이기 때문이에요. 전에 순진한 일개미가
솔직하게 불만 사항을 지적했다가, 다음 날 바로
해고됐거든요."

마중이는 그제야 모두가 침묵했던 토론회의 상황이
이해되었다. 일만이가 말했다.

"매사에 적극적이고 다른 곤충들에게 따뜻하게 대하는
마중 씨를 보고 꼭 한번 이야기를 나누고 싶었어요.
그런데 이제야 대화할 기회가 생겼네요. 사실 우리는 매주
목요일 저녁마다 만나서 동료들의 죽음과 우리가 처한
상황에 대해 이야기 나누는 '목요클럽'이란 모임을 하고
있습니다. 꽃뱅이는 모르는 비밀 모임이지요. 그 모임에
마중 씨도 함께했으면 해서 이렇게 찾아왔습니다."

그런 모임이 있다니 마중이는 불행 중 다행이라는 생각이
들었다. 그러나 한편으로 꽃뱅이가 없는 모임에서 우리끼리
이야기한들 달라지는 것이 있을까 하는 의구심도 생겼다.
일만이는 마중이의 생각을 눈치챘는지 꽃뱅이에 대해
어떻게 생각하는지 조심스레 물었다.

"마중 씨는 꽃뱅이에 대해 여전히 좋은 감정을 가지고 있군요?"
"그야 우리는 친구니까요."
"꽃뱅이를 비롯한 다른 딱정벌레들이 우리 개미들을 어떻게 속이고 있는지 혹시 아시나요?"
"속이다뇨?"

일만이는 마중이가 모르고 있는 사실을 알려 주었다. 딱정벌레들은 개미들끼리 의사소통을 하기 위해 내뿜는 페로몬을 해독할 뿐만 아니라, 의사소통 방법까지 알고 따라한다고 한다. 그래서 개미들은 딱정벌레들에게 번번이 속을 수밖에 없었다.
게다가 딱정벌레가 개미집을 제집처럼 드나들며 자신의 알을 낳아 놓으면, 개미들은 그것도 모르고 그 알들을 정성껏 보살핀다고 한다.
그 말을 듣고 마중이는 가슴속에서 무언가가 꿈틀하는 것을 느꼈다. 그것은 한동안 잊고 있던 분노의 감정이었다.

'분노는 부당한 현실에 대해 느끼는 정당한 감정인데, 다른 곤충들은 왜 분노하지 않을까? 먹고살기 급급한 상황에서는 분노라는 감정도 사치인 것일까?'

'그런데 이렇게 모여 이야기 나누는 것을 반딧불이에게 들키기라도 한다면, 그래서 꽃뱅이의 귀에 들어가게 되면 어떻게 될까?'

마중이는 분노를 느끼면서도 가슴 한 켠에서 두려움을 느끼는 자신을 발견하고는 부끄러운 마음이 들었다.

"제게 시간을 좀 주세요. 새롭게 알게 된 사실이 많아 머리가 너무 복잡해요. 생각을 좀 정리하고 싶어요."

개미들이 떠난 후 마중이는 심하게 앓았고, 결국 병가를 냈다. 끙끙 앓으면서도 마중이의 머릿속은 복잡했다.

'꽃뱅이는 내가 생각하는 것 이상으로 대단한 존재구나. 힘도 세고, 가진 것도 많고……. 이 마을에서 꿈을 이룰 수 있는 존재는 꽃뱅이뿐인 걸까?'

마중이는 목청이나 미노와 달리 꽃뱅이가 성공할 수 있었던 근본적인 비결이 무엇인지에 대해 생각하고 또 생각했다. 그러나 아무리 생각해도 돈이 많은 부모가 있다는 것 외에는 다른 이유를 찾을 수 없었다.

'결국 그거였구나.'

답을 찾았지만 마중이는 기쁘지 않았다. 이상마을에서는 아무리 열심히 일해도 개인의 노력과 능력만으로는 성공하기 힘들다는 것을 깨달았기 때문이다. 인정하고 싶지 않은 부당한 현실이었다. 친구 꽃뱅이가 그 어느 때보다 멀게 느껴졌다. 마중이가 꿈꾸던 이상마을은 이런 모습이 아니었다.

'그래도 목요클럽이 있다니 다행이야.'
'그래 봤자 힘없는 개미 몇 마리가 모여서 무슨 일을 할 수 있겠어? 우리는 쉽게 들어갈 수도 없는 저 탑처럼 높기만 한 현실의 벽을 무너뜨리는 게 쉬울 리 없잖아.'

마중이는 다른 동료들의 죽음을 함께 슬퍼하고 일터에서의 부당한 대우나 고충을 털어놓고 이야기할 수 있는 모임이 있다는 것이 위로가 되었다. 그러면서도 막상 달라지는 것이 없을 거라는 생각에 우울해졌다. 막강한 꽃뱅이에게 맞서기에는 그들의 힘이 너무 약하다는 생각을 지울 수 없었다. 생각하면 할수록 마중이는 자신이 초라하게 느껴지고, 이상마을의 모든 것이 싫어졌다.

며칠을 앓는 동안 마중이는 느~린마을 꿈을 꾸었다.
그곳에서 행복했던 시간들, 친구들과 바오밥나무에서 놀던 기억들…….
자신을 찾아와 준 목요클럽의 개미들에게 미안한 마음이 들었지만, 마중이는 고향으로 돌아가고 싶었다. 그들에게 실망을 줄 바엔 처음부터 함께하지 않는 것이 나을 거란 판단이 섰다.

돌아갈 생각을 하니 미노가 더 그리워졌다. 떠나기 전에 미노를 만나 변치 않은 우정을 확인하고 싶었다.

'그래, 미노를 만나고 나서 고향으로 돌아가자!'

마음을 정하고 나서야 마중이는 깊은 잠에 들 수 있었다.

아무도 알려 하지 않았다

얼마나 잤을까?
문밖에서 마중이를 부르는 익숙한 목소리가 들려왔다.
목청이였다.

"마중아, 놀라지 말고 들어."
"왜? 무슨 일이야?"
"미노가 죽었어."
"뭐라고?"

마중이는 너무 놀란 나머지 한동안 아무 말도 할 수 없었다.
머뭇거리던 목청이가 말을 이었다.

"어젯밤 늦게까지 배달 일을 하다 날개가 나뭇가지에 걸려 추락했대."

마중이는 믿을 수가 없었다. 발레리노가 되겠다는 꿈을 시도조차 해 보지 못하고 죽은 미노가 너무 불쌍했다.

'내가 하루만 일찍 미노를 찾아갔더라면…….'

마중이는 이상마을에 오자마자 미노를 만나러 가지 않은 스스로에게 화가 났다. 또다시 침묵이 흘렀다.
한참 후, 목청이가 머뭇거리며 말했다.

"내 친구 마중아."

"……."

"너라도 빨리 이 마을을 떠나. 난 더 이상 친구를 잃고 싶지 않아."

목청이는 일하는 도중에 잠시 자리를 비운 거라며 급히 일터로 돌아갔다. 혼자 남겨진 마중이는 외롭게 죽은 미노 생각에 흐느껴 울었다.

'왜 이런 불행이 생긴 걸까? 근본적인 원인은 무엇일까?'

'밤에는 잠을 자야 하는 미노가 밤 늦게까지 일한다는 말을 들었을 때부터 불안했는데, 왜 진작 찾아가 말리지 못했을까?'

'꽃뱅이는 미노에게 다른 일을 소개해 줄 수는 없었을까?'

'나는 도대체 미노를 위해 무엇을 했어야 했을까? 무엇을 할 수 있었을까? 이제라도 무엇을 해야 할까?'

그때 문밖에서 노크 소리가 들려왔다. 목요클럽에 함께할 것을 제안했던 개미들이었다.

"지금은 누구도 만나고 싶지 않아요. 미안하지만 돌아가 주세요."
"미노 씨 일에 대해 들었습니다. 어떻게 위로를 드려야 할지 모르겠네요."
"……."
"지금 마중 씨를 만나고 싶어 하는 분이 있어요. 미수 선생님을 기억하시죠?"
"느~린마을 미수 아줌마를 말씀하시는 거예요?"

마중이는 미수 아줌마의 이름을 듣자 정신이 번쩍 들었다. 잠시 잊고 있었던 그 이름을 목요클럽 회원들에게서 듣게 될 줄이야.

"아줌마!"

"마중아!"

마중이와 미수 아줌마는 서로를 부둥켜안고 눈물을 흘렸다.
미수 아줌마는 마중이의 마음을 다 안다는 듯 말없이
마중이의 등을 토닥여 주었다.
한참이 지나서야 마중이가 물었다.

"아줌마, 아들은 만나셨어요?"
"아니."
"아직 어디 있는지 못 찾으셨어요?"
"아니, 내 아들은 이미 죽었단다."

미수 아줌마의 아들은 2년 전에 일하던 중 사고로
죽었다고 했다. 미수 아줌마는 담담한 표정으로 말했지만,
떨리는 목소리에서 깊은 슬픔이 느껴졌다.
미노에 이어 미수 아줌마 아들까지…….
마중이는 연이은 충격적 사실에 몸을 가누기가 힘들었다.
마중이는 한참 만에 입을 열었다.

"아줌마, 어떻게 위로의 말씀을 드려야 할지 모르겠어요.
그런 일이 있는지도 모르고, 저는 혼자 마음 편하자고
고향에 돌아갈 생각만 하고 있었어요. 이런 제가
너무 부끄럽고 죄송해요."

미수 아줌마는 말했다.

"네가 그런 마음을 가져 주는 것만으로도 큰 위로가 된단다.
고맙구나. 어제 죽은 미노는 내 아들이나 다름없어.
이대로 두면 내일은 또 다른 아들과 딸이 죽을 지도 몰라.
죽은 내 아들을 위해 내가 할 수 있는 일은 더 이상의
죽음이 생기지 않도록 막는 거야."

마중이는 미수 아줌마의 말을 들으며 자신을 돌아봤다.
사실 마중이는 이상마을에 온 이후 수많은 동료들의
죽음을 목격하면서도 죽음의 근본적인 원인을 생각하거나
따져 묻지 않았다. 오로지 성공해서 꿈을 이루겠다는
생각뿐이었다.

"마중아, 너도 목요클럽과 함께해 주겠니?
만약 그래 준다면 우리에게 큰 힘이 될 거야."

마중이는 미수 아줌마의 말을 들으며 생각했다.

'왜 나는 좀 더 일찍 그들과 함께 현실을 바꿀 생각을 하지 못했을까? 그랬더라면 미노를 그렇게 보내지 않을 수도 있었을 텐데.'

그동안 마중이는 부당한 현실에 분노가 일어도 혼자 삭이려고 노력할 뿐, 친구들과 함께 현실을 개선할 생각을 하지 못했다.
만약 자신이 잘못된 현실에 대해 목소리를 내고 바꾸려는 노력을 했다면, 최소한 친구의 죽음 앞에서 이렇게 부끄럽지는 않았을 것이다.

"네, 이제라도 제 힘을 보태겠어요! 그리고 친구 목청이에게도 함께하자고 할게요."

순간 목요클럽 회원들 얼굴에 당황한 기색이 스쳤다.

"아직 모르시는군요. 목청이는 일터에서 벌어지는 모든 일들을 꽃뱅이에게 일일이 보고하는 앞잡이랍니다."

그 말을 듣자 마중이는 머리를 세게 얻어맞은 기분이었다.
그제야 목청이가 왜 미노에 대해 말할 때 석연치 않은
모습을 보였는지 그 이유를 알 것 같았다.
한편으로 목청이가 줄곧 자신에게 이 마을을 떠나라고
한 것이 친구인 자신을 위한 충고였는지 그 진심이
궁금해졌다. 마중이는 목청이에 대한 배신감에
화가 나면서도, 목청이가 측은하다는 생각이 들었다.
마중이는 머릿속이 혼란스러웠다. 그러나 곧 생각을
가다듬고 자신의 결심을 밝혔다.

"저는 누구나 노력하면 성공할 수 있다고 믿었고,
그 믿음으로 이상마을에 왔습니다. 그런데 아무리
열심히 노력해도 안 되더라고요. 그래서 너무 힘들었고,
고향으로 돌아갈 생각을 하고 있었어요. 그런데
제가 그러고 있는 사이, 제 친구 미노는 혼자 외롭게
죽어야만 했어요. 제가 믿고 의지해 온 미수 아줌마의
아들 역시 2년 전 같은 어려움을 겪었을 겁니다.

미노의 죽음도, 미수 아줌마 아들의 죽음도 결코
남의 문제가 아니라는 사실을 이제야 깨달았어요.
모든 것이 연결되어 있고, 제가 아무리 피하고 싶어도
피할 수 없는 문제라는 것을 말입니다. 이제 더 이상
뒤에 숨어 제 살길만 찾지 않고 부당함에 대해
함께 분노하고 저항하겠습니다."

마중이와 미수 아줌마는 손을 굳게 맞잡았다.
목요클럽 회원들은 그들을 둘러싸고 박수를 쳐 주었다.
마중이는 이상마을에 온 이후 처음으로 혼자가 아니라고
느꼈다.

자각

목요클럽은 계속되었다. 처음에는 개미들과 미수 아줌마, 마중이뿐이었지만, 나비와 매미도 목요클럽에 동참하면서 점차 회원이 늘었다. 그들은 둘러앉아 토론을 벌였다.

마중이 우리는 왜 꽃뱅이를 비롯한 딱정벌레들에게 대항할 생각을 하지 못하고 그들을 두려워할까요?
일만이 딱정벌레가 개구리를 사냥할 정도로 힘이 세기 때문이죠.

일만이의 대답에 미수 아줌마는 정색을 하며 그것은 사실과 다르다고 알려 주었다.

미수 아줌마가 이상마을의 동쪽 동네에서 보고 들은 바에 따르면, 개구리 사냥을 할 때 정작 위험을 무릅쓰는 것은 꽃뱅이가 아니라 함께 가는 다른 곤충들이라고 한다. 나비는 개구리를 유인하고, 매미는 소리를 높여 개구리의 주의를 분산시킨다. 가엾게도 이 과정에서 곤충들은 개구리의 먹이가 되기 일쑤이다. 개구리가 배가 불러 더 이상 곤충들에게 관심을 두지 않게 되면 그때서야 꽃뱅이가 개구리의 등에 올라타 사냥을 한다고 한다. 미수 아줌마는 말했다.

"꽃뱅이가 마치 혼자서 개구리 사냥을 하는 것처럼 떠벌리고 다닌다고 하더군요. 다른 곤충들은 죽은 개구리를 운반하는 안전한 일만 하고, 위험한 일은 자신이 한다고 말이에요. 하지만 그건 다 거짓이에요. 게다가 최근에는 꽃뱅이가 개구리를 사냥하는 모습 자체를 보기 힘들다 하더라고요."

마중이는 개구리 사냥 이야기를 자랑스럽게 늘어놓던 꽃뱅이의 모습이 생각나 할 말을 잃었다.

목요클럽 회원들의 토론은 계속되었다.

개미 딱정벌레들을 두려워하는 이유는 그들이 부와 권력 등 많은 것을 소유하고 있기 때문이에요.

마중이 그런데 개미가 딱정벌레보다 수적으로도 훨씬 더 많고, 일도 더 많이 하지 않나요?

매미 그러고 보니 그러네요. 게다가 개미들은 자신보다 1,000배나 무거운 것도 들어 옮길 수 있다고 들었어요.

마중이 맞아요! 농사도 지을 줄 알고, 개미들은 정말 똑똑하다고 생각해요.

일만이 하하, 우리 개미들을 비행기 태우지 마세요. 그렇게 치면 이상마을 주민들 중에 매미보다 더 큰 소리를 낼 수 있는 곤충은 없잖아요.

개미 나비는 또 어떻고요? 곤충들 중에서 가장 멀리 날아가잖아요. 숲이 번창하는 데에는 나비들이 꽃가루를 멀리 퍼트려 준 공이 크죠.

나비 듣고 보니 우리는 모두 나름의 장점을 가지고 있었네요. 결코 약한 존재도, 쓸모없는 존재도 아니었어요.

일만이 네! 우리가 함께한다면 수적으로 보나 능력으로 보나 딱정벌레를 두려워할 이유가 없어요.

매미 그런데도 지금까지 딱정벌레가 우두머리 노릇을 도맡아 해 왔다니! 이제 딱정벌레가 시키는 대로 일을 독촉하는 소리는 그만 내고 싶어요. 그리고 제가 부르고 싶은 노래를 맘껏 부르겠어요!

나비 저도 더 늦기 전에 제가 추고 싶은 춤을 추겠어요!

개미, 나비, 매미, 그리고 마중이는 자신들이 힘을 합치면
큰 힘을 낼 수 있는 존재라는 사실을 깨닫고 용기를 얻었다.

목요클럽은 나날이 활기를 띠었다. 목요클럽은 비밀
토론에서 한발 더 나아가 딱정벌레들이 독점하고 있는
투표권을 개미, 나비, 매미 등 이상마을의 모든 주민들에게
나누어 줄 것을 공개적으로 요구했다.

어느 목요일 밤, 여느 때처럼 모여 토론을 하던
목요클럽 회원들이 갑자기 조용해졌다. 반딧불이
몇 마리가 모임 장소에 나타났기 때문이다. 꽃뱅이가
목요클럽에 대해 알고 염탐하기 위해 보낸 것일까?
반딧불이를 본 목요클럽 회원들은 모두 표정이 딱딱하게
굳었다. 그러나 반딧불이의 입에서는 뜻밖의 말이 나왔다.

“우리도 목요클럽에 참여하고 싶어서 왔습니다.”

목요클럽 회원들은 처음에는 자신들의 귀를 의심했다. 반딧불이가 누구인가? 딱정벌레에 속하는 곤충으로, 이상마을 주민들을 밤낮으로 감시하던 존재가 아니던가. 이런 속마음을 알기라도 하듯 한 반딧불이 말했다.

"우리를 믿기 힘드시죠? 이해합니다.
하지만 딱정벌레라고 해서 다 같은 입장은 아니랍니다.
지금 이상마을을 지배하고 있는 딱정벌레는 꽃뱅이처럼
가진 것이 많거나 싸움을 잘하는 포악한 자들이에요.
우리는 사실 여러분들과 비슷한 처지랍니다.
하고 싶은 말도 마음대로 하지 못하고, 하기 싫어도
시키는 일을 억지로 하며 힘들게 지내고 있어요."

그 말을 듣고 미수 아줌마가 말했다.

"하지만 반딧불이는 우리 같은 개미, 나비, 매미들보다는
훨씬 많은 혜택을 누리지 않았나요? 그런데 갑자기 왜
목요클럽에 참여하겠다고 하는지 잘 이해가 되지 않네요."
"사실 우리는 그동안 스스로를 딱정벌레라고
여기고 있었기 때문에 꽃뱅이와 동등하다고 생각했어요.
하지만 목요클럽 회원들의 활동에 대해 알게 되면서 많은
생각이 들었어요. 그리고 우리 역시 목소리를 내지 못하고
꽃뱅이에게 이용당하고 있다는 것을 깨달았어요. 물론
모든 반딧불들이 이런 생각을 가지고 있는 것은 아닙니다.

그렇지만 반딧불이 중에도 목요클럽 지지자가 있다는 것을 알고 힘을 내셨으면 해서 용기를 내 찾아왔습니다. 저는 '반디'라고 합니다. 앞으로 잘 부탁드려요."

반디의 말에 담긴 진심이 목요클럽 회원들의 얼음장 같은 마음을 녹였다. 그 후 모임에 참여하는 반딧불이의 수가 매주 조금씩 늘어났다.

이상마을 주민들의 분위기가 심상치 않다는 것을 느낀 딱정벌레 정부는 긴급회의를 열었다. 이 자리에는 꽃뱅이도 함께했다.

딱정벌레 1 꽃뱅이 님, 소식 들으셨어요? 개미, 나비 등이 함께하는 모임이 있는데, 회원이 점점 늘고 있다고 합니다.
꽃뱅이 그래? 그래 봤자 제깟 놈들이 모여서 할 수 있는 게 뭐가 있겠어?
딱정벌레 2 그렇게 가볍게 생각해서는 안 됩니다. 최근에는 반딧불이 중 일부도 모임에 가담했다고 합니다.
그들의 세력이 더 커지기 전에 미리 손을 써야 합니다.

꽃뱅이 그러도록 하지. 폭우가 쏟아지기 전에 피하는 것이 상책이니 말이야.

그로부터 며칠 뒤, 이상마을에 안내문이 붙었다.

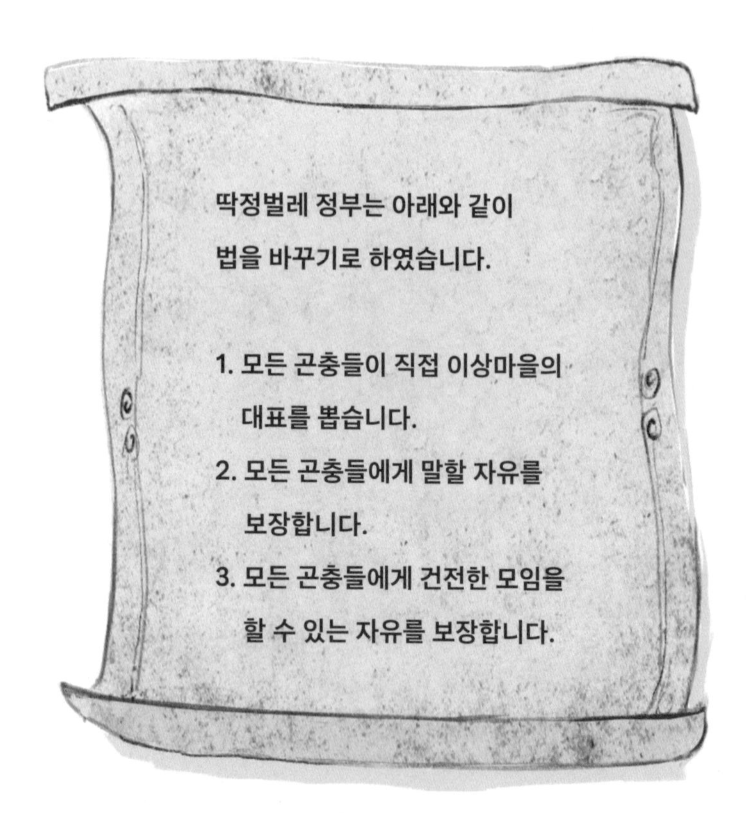

안내문을 읽은 목요클럽 회원들은 갑작스러운 변화에 얼떨떨했지만, 이를 계기로 이상마을의 모든 곤충들이 행복해질 수도 있다는 생각에 설렜다.

민주적인, 너무 민주적인

곤충들이 이상마을의 대표를 직접 뽑는 새로운 시대가
열렸다. 목요클럽과 딱정벌레 정부 모두 선거운동에
돌입했다. 목요클럽은 일개미인 일만이를 대표 후보로
내세웠다. 새롭게 세워지는 정부는 일하는 곤충을
대변해야 한다고 생각했기 때문이다. 일만이는 목요클럽의
핵심 멤버이자, 이상마을에서 가장 많은 수를 차지하는
일개미 중 하나라는 점에서 대표로 손색이 없어 보였다.

딱정벌레들은 처음 치뤄지는 민주적인 선거에서
어떤 결과가 나올지 걱정이 이만저만이 아니었다.
그래서 꽃뱅이에게 선거 전략을 부탁했다. 꽃뱅이는
딱정벌레 후보에게 주민들이 동질감을 느낄 수 있도록
보통 곤충임을 강조하는 선거 운동을 하라고 조언했다.

딱정벌레 후보는 꽃뱅이의 조언을 따라 쇠똥구리를
찾아갔다. 사실 그동안 딱정벌레들은 사촌 관계인
쇠똥구리를 본체만체하며 전혀 왕래하지 않았다.
이상마을의 동쪽 동네에서 똥이나 굴리며 산다는 이유로
쇠똥구리를 탐탁지 않게 여겼기 때문이다.
그러나 이상마을 주민들은 쇠똥구리를 좋아했다.
다른 딱정벌레들이 주민들에게 함부로 구는 반면,
쇠똥구리는 너저분하게 널려 있는 똥을 치우며 마을을 위해
봉사했기 때문이다.
딱정벌레 후보는 쇠똥구리를 만나자마자 다짜고짜
친한 척을 하며 사진부터 찍었다. 같이 쇠똥을 굴리는
시늉까지 하며 사진을 찍기도 했다. 물론 쇠똥구리의
일을 도와주려는 마음은 전혀 없었다. 그저 쇠똥구리의
좋은 이미지를 선거에 이용할 생각뿐이었다. 쇠똥구리는
딱정벌레 후보의 갑작스런 행동에 어리둥절했다. 그러다
일하는 데 방해만 되는 딱정벌레 후보가 빨리 가길 바라며
사진을 찍든 말든 내버려 두었다.

모든 곤충들이 참여하는 첫 선거인 만큼 그 열기는 어느 때보다 뜨거웠다. 시간이 갈수록 선거에 대한 곤충들의 관심은 더욱 높아졌다. 선거에서 수적으로 밀릴 것을 우려한 딱정벌레들이 곤충들의 관심을 다른 쪽으로 돌리려 안간힘을 썼지만 쉽지 않았다. 목요클럽 회원들이 곤충들에게 이번 선거가 어떤 의미를 갖는지 알리며 적극적으로 투표를 독려한 덕택이었다.

위기감을 느낀 딱정벌레 후보는 이상마을의 광장에서 선거 연설을 하였다.

“민주주의, 권리, 모두가 존중받는 사회, 그런 것을 싫어하는 곤충이 누가 있겠습니까? 그런데 이를 보장받기 위해서는 우선 마을이 안전해야 하지 않을까요?

지금 우리 마을의 혼란을 가장 반기는 존재는 바로 개구리입니다. 우리 딱정벌레들은 그동안 개구리로부터 마을을 지키고자 밤낮없이 노력해 왔습니다.
그런데 과연 힘없는 개미인 일만이 후보가 개구리로부터 여러분을 지켜 줄 수 있을까요?
아마도 개구리들은 일만이 후보가 당선되기만을 기다리고 있을 겁니다. 그래야 마음껏 이상마을을 습격할 수 있으니까요. 마을의 안전을 과연 누가 지킬 수 있을지 여러분들이 현명한 결정을 해 주시길 바랍니다."

두려움과 공포는 눈을 멀게 하여 진실을 볼 수 없게 만든다. 딱정벌레들은 그동안 곤충들 위에 군림하면서 이런 성향을 누구보다 잘 알고 이용해 왔다.

선거운동이 한창이던 어느 날 밤, 이상마을의 동쪽 동네에 개구리 떼가 나타나 주민들을 마구 잡아먹는 사건이 일어났다. 그동안 개구리가 한두 마리씩 나타나 습격하는 경우는 종종 있었지만, 이렇게 수십 마리의 개구리가 한꺼번에 마을을 휩쓴 것은 처음 있는 일이었다.
이 소식을 들은 서쪽 동네 주민들은 자기 동네에서 이런 일이 벌어지지 않은 것을 다행이라고만 생각했다.

시간이 흘러 이상마을의 대표를 뽑는 선거일이 되었다. 목요클럽 회원들은 일을 해야만 하는 곤충들이 시간을 내어 투표를 할 수 있을지 걱정했지만, 다행히도 투표율이 90% 가까이 되었다. 수적 우세에 있는 개미, 나비, 매미들이 투표에 참여한 만큼 일만이가 당선될 것을 모두 의심치 않았다.

기다리던 선거 결과가 발표되고, 곤충들이 뽑은
새 대표가 광장의 단상 위에 섰다. 모두의 예상과 달리
딱정벌레 후보가 새 대표가 되었다.

"저를 대표로 뽑아 주셔서 고맙습니다. 저는 법에 따라
민주적으로 치러진 선거에서 여러분의 현명한 선택으로
당선되었습니다. 여러분의 뜻을 잘 받들어 우리 이상마을을
안전하게 지키겠습니다."

마중이와 미수 아줌마를 비롯한 목요클럽 회원들은
선거 결과를 받아들이기 힘들었다. 투표권만 얻으면
새로운 세상이 올 것이라 기대했다. 이렇게 많은 수의
주민들이 일만이 후보를 외면하고 딱정벌레 후보에게
표를 주리라고는 상상도 하지 못했다.

당선된 딱정벌레 대표가 연설하는 내내 꽃뱅이는 바로 뒤에 앉아 있었다. 당선자는 꽃뱅이가 승리의 일등 공신이라며 치켜세웠다. 꽃뱅이는 옆에 있는 목청이를 보며 씩 웃음을 보였다. 목청이는 이 비열한 웃음의 의미를 잘 알고 있었다.

선거운동 기간에 있었던 개구리 떼 공격 사건도 곤충들의 공포심을 조장하기 위해 꽃뱅이가 꾸민 일이라는 것을 목청이는 알고 있었다.

결국 달라진 것은 아무것도 없었다. 다시 정권을 잡은 딱정벌레 정부는 이전보다 더 마음껏 권력을 휘둘렀다. 지금까지 무엇을 위해 그토록 열심히 토론하고 뛰었던 것일까? 목요클럽 회원들은 말할 수 없이 큰 혼란과 좌절감에 빠졌다.

3부
권리

분노

마중이는 분노했다. 선거운동 기간 내내 주민들을 불안과 공포에 떨게 하고, 일만이 후보의 능력을 깎아내리며 무시한 딱정벌레들에게 말할 수 없는 분노가 치밀었다. 그리고 그 분노는 딱정벌레를 대표로 뽑은 주민들을 향하기도 했다.

'그동안 딱정벌레들이 어떤 짓을 했는지 직접 보고 겪었으면서 딱정벌레 후보를 뽑다니!'

마중이는 주민들을 이해할 수 없었다. 새 대표를 직접 뽑을 기회를 얻었음에도 자신들을 힘들게 했던 딱정벌레를 다시 대표로 선택했다는 사실이 믿어지지 않았다.

선거가 끝난 후, 이상마을은 일상으로 돌아갔다. 곤충들에게 말할 자유와 모임을 만들 자유를 보장하겠다는 딱정벌레 정부의 공약은 지켜졌다. 하지만 그것은 표면적인 모습이었다. 곤충들은 여전히 딱정벌레 앞에서 침묵했고, 그들의 눈치를 보았다. 선거 직후 열린 목요클럽 토론에서 마중이는 이런 현실에 대해 울분을 터트렸다.

마중이 말할 자유가 주어졌는데도 왜 다들 말하지 못하는 거죠? 혹시 표현의 자유가 자신들에게 있다는 사실을 모르고 있는 건가요?

일만이 아니요. 모두 잘 알고 있어요. 알지만 말하지 못하는 거예요. 꽃뱅이 집에서 일을 할 때 우리 개미들이 근로 계약서를 쓰자고 말할 수 있을까요? '근'자만 나와도 바로 잘릴 텐데요.

미수 맞아요. 지난번에 어떤 개미가 제게 찾아와 하소연하더군요. 차라리 말할 자유가 없을 때는 마음이 편했다고. 그때는 자유가 없으니 시키는 대로만 하면 된다고 생각했는데, 이제는 말할 수 있는데도 겁이 나서 말하지 못하는 것이 더 괴롭다고 말이죠.

마중이도 배고픔 앞에서는 말할 자유가 그림의 떡이라는 것을 잘 알고 있었다. 표현의 자유는 가진 자만이 누릴 수 있는 여유이다. 생존을 걱정해야 하는 곤충은 말할 자유가 주어져도 말할 수 없기에 오히려 굴욕감만을 느낄 뿐이다. 마중이의 분노는 딱정벌레에서 주민들에게로, 그리고 이제는 자신에게로 향했다. 현실을 너무 이상적으로 생각하고 있었다는 자책이 들었다. 그 탓에 주민들은 제 목소리를 대변하는 지도자를 얻을 첫 기회를 날리고 말았다.

"잠시 이상마을을 떠나 있고 싶어요. 문제의 근본 원인과 대안을 찾으면 돌아오겠습니다."

마중이는 이상마을을 잠시 떠나 생각을 정리하고 싶다는 뜻을 밝혔다. 미수 아줌마와 목요클럽 회원들은 마중이의 결심을 말릴 수 없었다.

집

마중이는 며칠 동안 정처 없이 걷고 또 걸었다.
그때 누군가가 부르는 소리가 들렸다.

"안녕, 친구!"

소리가 나는 곳을 보니 아줌마와 함께 이상마을로 가는 길에
만났던 보라 아저씨였다.

"아저씨, 오랜만이에요. 잘 지내셨어요? 그때 느~린마을로
가신다고 하셨는데, 느~린마을은 어때요? 여전히
평화로운가요?"
"음, 그보다 마중이 네 이야기를 먼저 듣고 싶구나.
지금 어디로 가는 중이니?"

마중이는 이상마을에서 있었던 일들을 보라 아저씨에게 가능한 담담히 전하려고 노력했다. 하지만 그동안 쌓인 분노와 울분을 억누르는 것이 쉽지 않았다.

"우정이 변한다는 말이 저와는 상관없는 이야기라고 생각했어요. 그런데 친구들의 변한 모습을 보면서 그 말을 실감했어요. 왜 친구들이 그렇게 변한 것일까요? 이상마을은 맷돌과 같다고 하셨던 아저씨 말씀도 옳았어요. 그 맷돌은 마치 눈에 보이지 않는 악마가 돌리고 있는 것 같았어요. 개미, 나비, 매미들이 그 맷돌에서 벗어날 방법은 없을까요? 그들은 딱정벌레 때문에 힘든 삶을 살고 있으면서 왜 개미가 아닌 딱정벌레를 자신들의 대표로 뽑았을까요?"

"나도 주민들이 직접 대표를 뽑는다는 소식에 이상마을이 달라질 수 있을 거라 기대했는데, 결과가 실망스럽더구나."

"솔직히 이제는 우정도, 친구도 믿지 못하겠어요. 그리고 이상마을의 주민들도 너무 어리석게 여겨져 원망스러워요."

"그들의 행동이 과연 그들만의 잘못일까?"

마중이와 보라 아저씨가 한참 이야기를 나누고 있을 때, 맞은편에서 마중이와 닮은 동물이 다가오는 모습이 보였다. 아, 그런데 자세히 보니 마중이와는 다르게 등에 무언가를 짊어지고 있었다. 그 동물은 마중이를 보자 반가워하며 말을 걸었다.

"와~, 당신이 말로만 듣던 민달팽이로군요? 정말 반가워요."
"저에 대해 아시나요? 처음 뵙겠습니다. 저는 마중이라고 해요. 그런데 초면에 실례지만 등에 지고 계신 것은 무엇인가요?"
"이건……. 앗, 일단 숨어요!"

그 소리에 보라 아저씨는 나무 위로 날아올랐고, 마중이는 가까운 풀숲에 겨우 몸을 숨겼다. 갑자기 나타난 것은 개구리였다. 다행히 개구리는 마중이를 보지 못했는지 주위를 잠시 두리번거리며 입맛을 다시더니 다른 곳으로 가 버렸다.

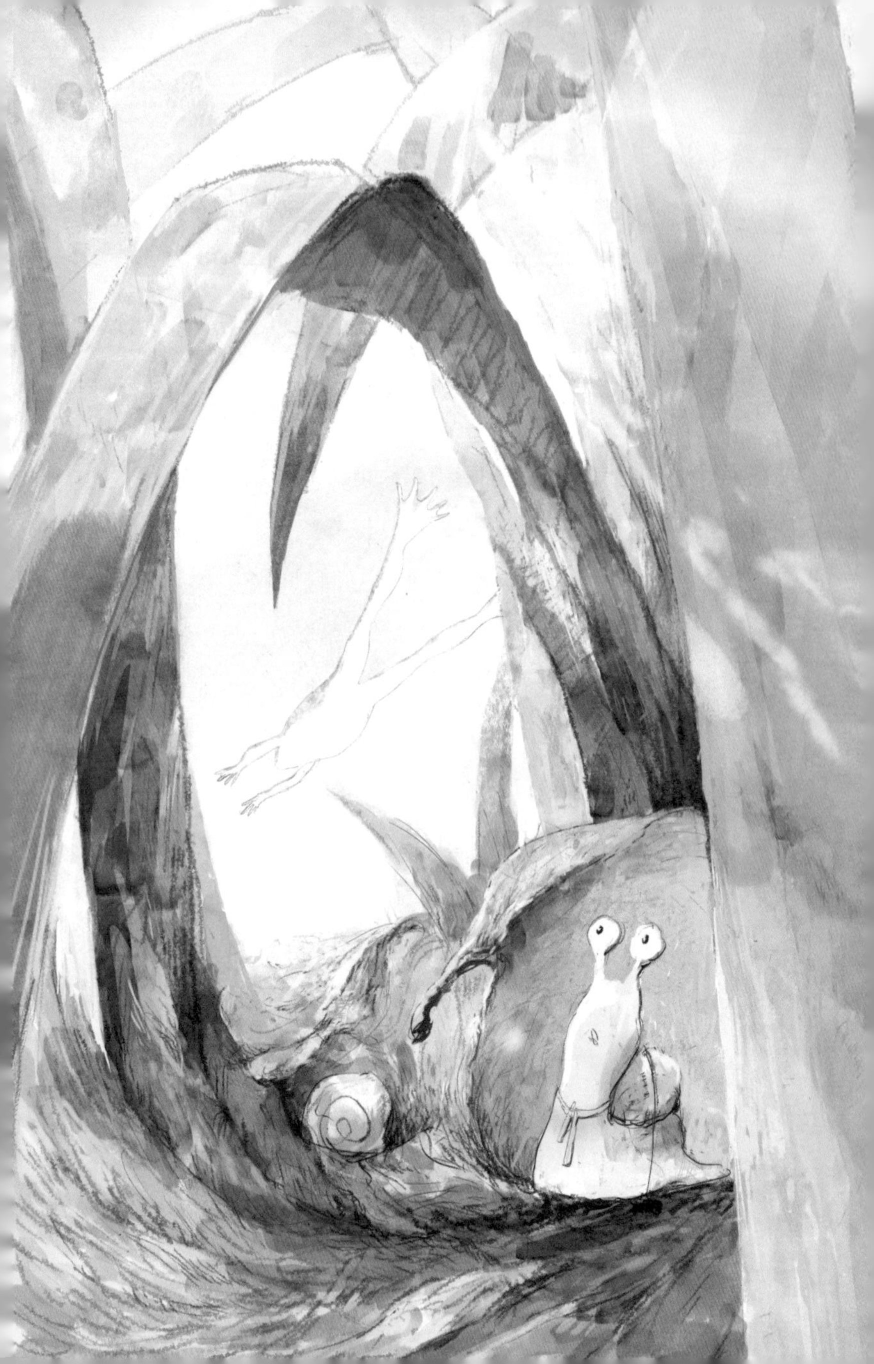

"휴우~. 다행이다. 이제 안전하니 나오세요!"

마중이의 말에 보라 아저씨가 모습을 드러냈다.
하지만 달팽이는 멀리 가 버렸는지 보이지 않았다.
이러저리 달팽이를 찾던 마중이가 보라 아저씨에게 말했다.

"달팽이 님은 어떻게 그렇게 빨리 사라진 거죠? 그렇게
날쌘 달팽이가 있다니, 놀랍네요."

보라 아저씨는 빙그레 웃으면서 주위를 잘 둘러보라고
말했다. 이때 거짓말처럼 달팽이가 바로 앞에서 나타났다.

"어디에 계셨던 거예요? 한참을 찾았어요."
"음, 저는 느려서 다른 곳으로 피하지 못하고 내내 이 자리에
있었어요. 이 집 속에 숨어 있었어요. 이렇게 집을 짊어지고
다녀서 저를 집달팽이라고 부르죠."
"아! 무엇을 지고 다니시는 건지 궁금했는데 집이었군요.
개구리가 나타나도 멀리 도망가지 않아도 되고,
어디서든 쉴 수 있고, 좋은 점이 많네요."

"집을 지고 다니기 때문에 개구리 같은 녀석들의 공격이나
뜨거운 햇볕을 쉽게 피할 수 있답니다. 눈보라가 몰아치는
겨울에는 집에 들어가서 깊은 겨울잠을 자고요."
"와, 저도 그런 멋진 집이 있으면 정말 좋겠어요! 부럽네요."

마중이는 이상마을에서 머물 집을 구하지 못해
다른 곤충들의 신세를 지곤 했던 자신의 처지가 떠올랐다.
그리고 평생 집을 짓고 지키느라 허리 펼 겨를도 없는
개미와, 다른 곤충의 눈치를 보지 않고 자신의 집에서
맘껏 노래하는 게 소원인 매미가 생각났다. 집달팽이처럼
태어나면서부터 내 집이 있다면 다들 좀 더 여유있게
지낼 수 있지 않을까!

"제가 부럽다고요? 우리 집달팽이들은 오히려 마중 씨 같은
민달팽이를 부러워하는 걸요?"
"민달팽이를 부러워한다고요?"
"민달팽이들은 우리보다 훨씬 크고 빠르잖아요.
그건 지고 다녀야 할 집이 없어서 가능한 거 아닌가요?

우리 집달팽이들은 태어나면서부터 집을 짓고, 키우는 게 유일한 목적인 삶을 살고 있어요. 집과 함께 태어나서 집을 키우기 위해 살다가, 이 집이 없어지면 죽는 거죠. 집을 열심히 만들었으니 안전할 권리가 있지만, 때로는 이 집이 부담스럽기도 해요."

위험으로부터 안전하게 지켜 주는 집이 부럽기만 한데
부담스럽다니! 마중이가 미처 생각하지 못한 점이었다.
집달팽이는 더 놀라운 이야기를 들려주었다. 집달팽이들은
서로 집을 비교하고 그 과정에서 스트레스를 받는다고
한다. 무엇보다 충격적인 사실은 안식처인 집이 때로는
집달팽이에게 위험의 원인이 되기도 한다는 점이다.
늑대달팽이들은 집달팽이들이 오도 가도 못하게
집의 입구를 막고는 집 속으로 서서히 들어와
집달팽이들을 잡아먹는다고 한다. 집달팽이가 평생
애써 만든 집이 스스로에게 덫이 되는 것이다.

집만 있으면 자유와 여유가 있는 삶이 가능할 거라 생각했던
마중이는 집달팽이의 말에 실망감을 감출 수가 없었다.
다시 길을 잃은 기분이었다. 집달팽이와 헤어지고
풀이 죽은 마중이는 보라 아저씨에게 말했다.

"집달팽이 님을 만나 이상마을을 구할 방법을 찾았다고 생각했는데, 집이 있다고 해서 모든 문제가 해결되는 게 아닌가 봐요."

보라 아저씨는 마중이에게 근처에 있는 다른 마을에 가면 답을 찾을 수도 있을 거라며 가는 길을 자세히 알려 주었다.

쉼

마중이는 답을 얻을 수 있을 거란 기대감에 부지런히 걸음을 재촉하여 보라 아저씨가 알려 준 마을 입구에 다다랐다.

'내 영혼이 쉴 수 있는 곳, 흰개미마을.'

마을 안내판에 쓰인 영혼, 쉼이라는 말이 마중이의 눈길을 사로잡았다. 그런 것에 대해 생각해 본 적이 있었던가?
마중이는 이 마을이 더욱 궁금해졌다.

빨리 마을을 둘러보고 싶은 마음에 서둘러 걷는 마중이의 몸에 무언가가 닿는 느낌이 들었다. 흠칫 놀라 돌아보니 처음 보는 곤충이 인사를 건넸다.

“안녕하세요. 우리 마을엔 무슨 일로 오셨나요?”

“저는 이 마을이 궁금해서 찾아온 마중이라고 합니다.”

“저는 흰개미마을을 지키는 병정흰개미입니다. 허락 없이 몸을 만져서 미안합니다. 우리 흰개미는 눈이 나빠서 냄새를 맡거나 직접 만져 봐야 상대를 알 수 있거든요.”

병정흰개미는 마중이가 그동안 보아 온 개미들과는 생김새가 달랐다. 검정색이 아닌 흰색인데다가 등에 날개도 있었다.

"개미는 다 검정색인 줄 알았는데 흰개미도 있었네요."
"하하, 우리를 개미로 아시는 경우가 많은데, 사실 개미는 우리를 잡아먹는 천적이에요. 우리는 바퀴벌레에 더 가까워요."
"그렇군요. 오해해서 미안해요."
"아니에요. 우리 이름 때문에 다들 오해하는 걸요. 개미들처럼 협동을 잘한다고 붙여 준 이름이니, 나쁘지만은 않아요."
"그런데 마을 입구에 있는 안내판을 보니, 이 마을에서는 쉬는 것을 중요하게 여기나 봐요."
"음, 그 점이라면 직접 일을 하고 있는 노동흰개미에게 물어보시는 편이 나을 거예요."

마중이는 노동흰개미가 일하는 곳으로 가서, 한참을
멀찍이 서서 기다렸다. 이상마을에서 곤충들이 일할 때
조심해서 말을 걸어야 했던 것이 생각났기 때문이다.
열심히 일하던 노동흰개미가 잠시 일을 멈추자,
마중이가 다가가 인사를 건넸다.

"안녕하세요. 저는 마중이라고 합니다."
"안녕하세요. 왜 이제야 오셨어요? 병정흰개미가
당신이 온다고 알려 줘서 기다리고 있었어요."
"일하시는 데 방해가 될까 걱정되어서요."
"아니에요. 우리는 일하는 중간 중간에 쉬는 시간을 가져요.
쉬면서 일해야 일도 재미있고, 존중받는 느낌도 들거든요.
우리 흰개미들에게는 쉴 권리가 있고, 우리는 그것을
중요하게 생각해요."

고된 노동의 반복으로 쉴 틈이 없게 되면 생각할 여유도 없다. 고된 노동이 일상이 되면, 생각하는 것 자체가 사치가 될지도 모른다. 그러나 흰개미들은 쉴 수 있기 때문에 이상마을의 곤충들과 다른 삶을 살 수 있었다.

노동흰개미는 자신들이 지은 첨탑 모양의 집에 마중이를 데리고 갔다.

"여기는 밖과 달리 시원하네요?"
"우리 흰개미들의 집 짓는 솜씨는 유명하답니다. 땅속의 시원한 바람이 집 전체를 돌도록 해서, 더운 날씨에도 시원하게 지낼 수 있어요."

마중이는 적절한 휴식을 취하면서 함께 좋은 집을 짓고 살아가는 흰개미들이 부러웠다. 이런 삶이 가능하다면, 집달팽이처럼 각자 집을 짓고 그것을 평생 지고 다니느라 고생할 필요가 없지 않은가.

흰개미마을을 둘러보던 마중이는 비슷한 마을을 본 적이 있다는 생각이 들었다.

'아, 느~린마을과 닮았구나.'

생각해 보니 느~린마을에서 곤충들이 행복했던 이유는 사방에 널린 풍부한 먹거리 덕분이었다. 풀, 과일, 나무는 어느 개인의 소유가 아니라 모두의 것이었다. 무엇보다 누구나 머물 수 있는 공간이 되어 준 바오밥나무의 역할이 컸다. 바오밥나무는 곤충들이 쉬고, 놀고, 생각할 수 있는 모두의 집이었다. 생각은 휴식에서 나오고, 휴식은 먹을거리와 집이 있을 때 가능하다.
마중이는 드디어 자신이 원하던 답을 찾았다고 생각했다.

"그래, 바로 이거야."

이상이 일상이 되도록 상상하라

흰개미마을을 나서는 마중이의 마음은 급했다.
한시라도 빨리 목요클럽 회원들에게 집과 쉼이 보장된
흰개미마을에 대해 알려 주고 싶었다.

마중이는 이상마을에 들어서자마자 미수 아줌마를
찾아갔다. 미수 아줌마는 마중이를 반갑게 맞아 주었고,
둘은 그동안 못 다한 이야기를 나누었다. 마중이는
집달팽이를 만난 이야기와 흰개미마을에서 보고 들은 것,
그리고 이번 여정에서 깨달은 것들을 전했다.

그로부터 며칠 후, 목요클럽 모임이 열렸다.

마중이 목요클럽 회원 여러분, 오랜만입니다.

미수 마중 씨가 다른 마을을 여행하고 돌아오면서 우리가 함께 고민해야 할 중요한 안건을 가져왔어요.

마중이는 집달팽이와 흰개미로부터 보고 들은 것들을 목요클럽 회원들에게 열심히 설명했다. 회원들은 놀라기도 하고, 때로는 믿기 힘들다는 표정도 지으며 마중이의 이야기를 들었다.

미수 우리는 지금까지 우리 목소리를 찾는 방법으로 대표를 뽑는 선거에만 관심을 가졌습니다. 우리가 직접 뽑은 대표라면 우리 목소리를 대변해 줄 거라 생각했죠. 그런데 집달팽이와 흰개미마을의 이야기를 들으니, 선거에서 이기는 것이 다가 아니었어요. 모든 주민들이 목소리를 낼 수 있는 조건을 갖추는 것이 더 중요하니까요. 안전한 집과 충분한 휴식이 보장되어야 우리 목소리를 낼 수 있다는 걸 알게 되었어요.

반디 집과 휴식! 참 좋은 말이네요. 하지만 마을에서 모든 주민들에게 그것을 보장해 주는 것이 가능할까요? 그러다간 마을 창고가 바닥날 텐데요.

마중이 이상마을의 창고가 느~린마을이나 흰개미마을보다 더 풍성할 거예요. 그런데 왜 이상마을의 주민들만 힘들게 살고 있을까요?

개미 그러네요. 그건 창고가 얼마나 찼느냐의 문제가 아니라, 가진 것을 어떻게 나눌 것이냐의 문제네요.

마중이는 집달팽이와 흰개미마을에서 대화하다 들었던 한 단어가 생각났다.

마중이 집달팽이와 흰개미는 모두 권리에 대해 말했어요. 우리는 투표할 권리뿐만 아니라 안전한 집에서 살 권리와 충분한 휴식을 취할 권리가 있는 존재라고요!

개미·나비 그러네요. 창고에 있는 것들은 모두 우리가 생산한 것이니, 우리의 권리를 위해 쓰이는 게 옳다고 생각해요.

매미 우리는 왜 이런 권리를 보장받을 생각을 미처 하지 못했을까요?

그때 미수 아줌마가 한 가지 질문을 던졌다.

미수 우리는 거기에서 한발 더 나아가야 해요!
저는 일하다가 다친 곤충들을 많이 봤어요. 태어날 때부터
장애를 갖고 태어나 일하기가 힘든 곤충들도 있고,
나이가 들어 더 이상 일할 수 없는 곤충들도 있죠.
그럼 이 곤충들은 일하지 않으니까 우리와 같은 권리를
보장받을 수 없는 것일까요?
반디 미수 선생님 말씀은 일하지 않는 곤충들도 우리와
같은 권리를 가져야 한다는 뜻인가요? 저는 힘들게
일하면서 세금을 꼬박꼬박 내고 있는데, 아무 일도 하지
않는 곤충들의 권리까지 제가 낸 세금으로 보장해야 한다는
말씀입니까? 그건 제가 너무 손해라는 생각이 듭니다.
권리는 내가 기여한 것에 따라오는 보상이 아닌가요?

이때 한 개미가 나섰다. 그 개미는 팔에 붕대를 감고 있고,
한쪽 다리가 없어서 나뭇가지에 몸을 의지하고 있었다.

"저는 일하다가 다리를 잃었습니다. 장애가 있지만
여러분과 똑같은 소중한 생명입니다. 밖에 나와 햇볕도
쐬고, 먹이 활동도 해야 합니다. 하지만 이상마을에는
우리처럼 장애를 가진 곤충을 위한 정책이나 제도가
전혀 없습니다. 이상마을에서 우리처럼 장애를 가진
곤충들은 원하는 곳으로 이동하는 것조차 쉽지 않습니다.
그러다보니 일을 할 수도, 무언가를 배울 수도, 친구를
만날 수도 없습니다. 이동을 할 수 있어야 이 모든 것이
가능하니까요. 여러분들에게는 당연한 것이 누군가에게는
단 한번이라도 제대로 누리고 싶은 권리라는 것을
생각해 보신 적 있나요?
반디 씨의 말처럼 기여한 만큼 받는 것이라면 그것은
권리가 아니라 상품이 아닐까요? 상품 사회에서는
우리 같은 장애인, 노인, 병든 곤충들은 비참하게 살다
죽어야 합니다. 권리는 보상이나 이권이 아니라,
어떤 상황에서든 누구나 행복하게 살 수 있도록 공동체가
보장해야 할 의무라고 생각합니다."

개미의 말을 들은 목요클럽 회원들은 쉽사리 입을 떼지 못했다. 침묵을 깬 것은 미수 아줌마였다.

미수 저는 안전한 집과 충분한 휴식은 물론 원하는 곳에 자유롭게 갈 수 있는 이동의 자유 또한 모든 곤충이 보장받아야 할 권리라고 생각해요. 그뿐만이 아니에요. 누구나 먹고, 입고, 병을 치료하고, 배울 권리가 있어요. 모든 생명은 다 존엄하니까요. 세상은 더 늦기 전에 달라져야 해요.

나비 그건 지나치게 이상적인 생각 아닐까요?

마중이 우리가 투표권을 얻기 전에는 투표권을 획득하는 것이 실현 불가능한 이상이라고 생각했어요. 우리가 이렇게 모여서 자유롭게 토론하는 것 역시 실현 불가능하다고 생각했던 이상이었어요.

미수 맞아요. 불가능해 보이는 이상을 꿈꾸었기에 그 이상이 현실이 될 수 있었어요!

마중이 저는 모든 것이 더 나은 것을 상상하는 데서 시작된다고 생각해요. 그리고 이런 상상은 꿈, 즉 이상에 기반해야 합니다. 여러분의 이상은 무엇인가요?

미수 제 이상은 모든 생명이 소중하게 여겨지는 세상이
되는 거예요. 그런 세상이 가능하려면 우리는 나만의
이익이나 이권이 아니라 이웃과 공동체를 위해서
목소리를 내야 해요.

일만이 저는 덜 가졌다고 부끄러워하지 않고,
더 가졌다고 으스대지 않는 세상에서 살고 싶어요.

반디 차이가 편안히 드러나는 광장과 같은 세상을
만드는 것이 제 꿈이에요.

마중이 모두 멋진 이상을 가지고 계시네요. 제 꿈은
이상마을이 모두가 행복하게 살 수 있는 곳이 되는 거예요.
미수 아줌마 말씀처럼 우리의 이상이 실현된 세상에서
행복한 삶을 누릴 수 있도록 함께 노력해 봐요.
그런 의미에서 '이상이 일상이 되도록 상상하라!',
이 말을 우리 목요클럽의 모토로 삼으면 어떨까요?

어느새 목요클럽의 모든 회원들은 이 말을 되뇌이고 있었다.
이상이 일상이 되도록 상상하라!

4부
길

반격

목요클럽은 '집과 쉼은 모든 곤충들의 권리'라는
생각을 이상마을 주민들에게 적극적으로 알렸다.
투표권을 주장하는 것에서 한발 더 나아가, 모든 곤충들이
자기 목소리를 낼 수 있는 기본적인 여건을 확보하는
운동으로 방향을 전환한 것이다.
곤충들은 목요클럽의 새로운 주장에 관심을 갖기 시작했다.

'집과 쉼을 보장받을 권리가 내게 있다고?'
'장애를 가진 곤충들이 가고 싶은 곳에 불편 없이
다니는 것은 배려 차원의 문제가 아니라
그들의 정당한 권리였구나!'

그러나 주민들의 이런 변화를 불편한 시선으로 바라보는 곤충이 있었다. 바로 꽃뱅이었다.

'내 앞에서 쩔쩔매던 주민들이 권리니 뭐니 하면서 목소리를 내기 시작하면 피곤해질 텐데. 더 늦기 전에 대책을 세워야겠어!'

사실 꽃뱅이는 부모에게서 이어받은 가업을 더 발전시켜야 한다는 부담감에 늘 어깨가 무거웠다. 꽃뱅이가 돈을 버는 데에 급급했던 이유도 그 때문이었다. 대책을 고민하던 꽃뱅이는 직접 정치에 뛰어들기로 결심했다. 지금까지 꽃뱅이는 딱정벌레 정부에 돈을 후원하면서 자신의 이익에 도움이 되는 방향으로 자문을 해 왔다. 하지만 이대로 가면 권리를 주장하는 곤충들로 인해 부를 더 축적하는 것은 고사하고, 모든 것을 빼앗길지도 모른다는 위기감이 그를 전면에 나서게 했다.

딱정벌레들의 대표로 나선 꽃뱅이는 목청이를 불러 대책 회의를 했다.

꽃뱅이 너도 알다시피 이 모든 사태는 목요클럽 때문에 벌어진 거야.
목청이 그중에서도 마중이의 영향이 크지. 마중이가 온 후부터 목요클럽의 활동이 더 활발해졌거든.
꽃뱅이 맞아. 그렇다면 우선 마중이가 목요클럽에 참여하지 못하도록 만들고, 목요클럽도 분열시켜야 해. 뭔가 좋은 방법이 없을까? 친구야, 빨리 방법을 찾아봐. 네 전문이잖아.

목청이는 며칠 동안 고민에 고민을 거듭했다.

'내가 꼭 이렇게까지 해야 하나?'
'내키지 않지만 일단 나부터 살고 봐야지 뭐.'
'미안하다, 마중아.'

며칠 뒤 목청이는 꽃뱅이에게 극비 보고서를 제출했다.
보고서의 첫 문장은 다음과 같았다.

'강자의 힘은 약자의 두려움과 분열에서 나온다.'

꽃뱅이의 얼굴에 만족스러운 웃음이 번졌다. 그런데
보고서를 읽던 꽃뱅이의 표정이 순간 일그러졌다. 그 모습을
본 목청이는 무엇이 잘못되었나 싶어 안절부절못하며
눈치만 살폈다. 잠시 고민하던 꽃뱅이는 결심을 굳힌 듯
이내 고개를 끄덕이며 야비한 웃음을 지었다.

일주일 후, 꽃뱅이는 마을 광장에서 주민들을 모아 놓고
긴급 연설을 하였다.

"사랑하는 이상마을 주민 여러분, 꽃뱅이입니다. 오늘
여러분께 급히 상의드릴 일이 있어 이 자리에 섰습니다.
그동안 제가 우리 마을을 위협하는 개구리에 맞서 싸워 온
것을 잘 알고 계시죠? 그런데 이제는 더 이상 그럴 필요가
없습니다. 개구리가 사라졌기 때문입니다."

그 말에 주민들이 웅성거렸다. 꽃뱅이는 말을 이어갔다.

“개구리가 왜 다 사라졌을까요? 그것은 개구리보다 더 무서운 존재, 바로 인간 때문입니다.”

거짓말을 일삼는 꽃뱅이였지만, 이 말은 사실이었다.
자연을 개발한다며 빌딩과 아파트를 마구잡이로 짓는
인간 때문에 개구리는 살 곳을 잃었다. 그뿐만이 아니었다.
인간은 개구리보다 더 무시무시한 사냥꾼이었다.
개구리는 생존을 위해 필요한 만큼만 곤충을 사냥했다.
하지만 인간은 이익이나 재미를 얻기 위해 사냥을 했다.
그래서 개구리를 비롯한 동물들을 필요 이상으로
죽이는 일이 비일비재했다.

개구리 이야기로 주민들의 관심을 끄는 데 성공한 꽃뱅이는
갑자기 눈물을 흘리며 울먹였다.

"개구리뿐만이 아닙니다. 제 사촌 쇠똥구리도 쇠똥에
남아 있는 항생제 때문에 죽었답니다. 그 항생제는 인간이
소에게 준 사료에 들어 있던 것입니다."
"쇠똥구리 님이 죽었다고요?"

주민들은 이상마을을 위해 묵묵히 봉사하던 쇠똥구리가
인간 때문에 죽었다는 말에 큰 충격을 받았다.
주민들의 표정을 살피던 꽃뱅이는 준비한 회심의 카드를
꺼냈다.

"그런데 여러분, 이렇게 무시무시한 인간과 내통하는
첩자가 우리 마을에 있다고 합니다."
"첩자라고요?"
"그게 도대체 누구입니까?"

연설을 듣던 주민들이 놀라서 되묻자, 꽃뱅이는
기다렸다는 듯 말을 이었다.

"저는 지난 몇 달 동안 첩자를 찾기 위해 비밀리에 조사를
진행했습니다. 그 첩자가 누구인지 이름을 밝히진 않겠지만,
한동안 이 마을을 떠나 있다가 얼마 전에 돌아왔죠."

주민들은 순간 조용해졌다. 꽃뱅이가 직접 이름을 말하지는 않았지만, 첩자가 누구인지 다들 짐작할 수 있었기 때문이다. 자신이 의도했던 대로 분위기가 흘러가자 꽃뱅이는 쐐기를 박듯 말했다.

"여러분, 그 첩자는 인간과 합심하여 우리 마을을 위험에 빠뜨릴 것입니다. 인간은 개구리와 다릅니다. 우리가 하나로 뭉치지 않으면 결코 이길 수 없는 무서운 존재입니다. 개구리로부터 우리 마을을 지켰던 이 꽃뱅이가 앞장서겠습니다. 우리 함께 이상마을을 지킵시다."

꽃뱅이의 긴급 연설은 이렇게 끝이 났다. 하지만 충격에 빠진 주민들은 한동안 광장을 떠날 줄 몰랐다.

소문

꽃뱅이의 연설은 바로 효과를 발휘하여, 이상마을은 다양한 소문으로 들썩였다.

'마중이와 미수 아줌마가 외부자래!'
'마중이가 마을 밖에서 인간과 만나는 걸 본 곤충이 있대.'

마중이와 미수 아줌마가 속한 목요클럽은 소문에 적극적으로 대처하기로 하였다. 일만이가 나서서 주민들을 설득하였다.

"여러분, 우리들 대부분은 느~린마을을 비롯한 다른 곳에서 어린 시절을 보내고 성충이 되어 이상마을로 이주해 왔습니다. 다른 곳에서 왔다는 이유로 외부자라 한다면 우리 모두가 외부자입니다. 그런데도 '누구는 외부자'라며 구분하고 혐오를 조장하는 것은 잘못된 태도입니다."

마중이는 단 한번도 인간을 만난 적이 없음을 밝히며
소문이 거짓임을 강조하였다.

“인간이 정말로 그렇게 무서운 존재인지 저도 한번
만나 보고 싶어요. 적을 알아야 어떻게 이길지
알 수 있을 테니까요.”

주민들은 마중이와 미수 아줌마를 외부자라고 수군대던
자신들의 행동이 얼마나 이러석은 짓이었는지 점차
깨달았다.

결국 꽃뱅이는 마지막 결정타를 날리기로 마음먹었다.
곤충들의 눈을 멀게 하는 데는 혐오만한 것이 없었다.
꽃뱅이는 목청이가 만든 보고서를 자신의 목적에 맞게
잘 써먹고 있었다. 곧 이상마을에는 또 다른 소문이 돌기
시작했다.

'사실 마중이는 암수동체래.'

마중이는 이 소문을 듣고 처음에는 대수롭지 않게 여겼다. 민달팽이는 원래 그렇게 태어났기 때문에, 그 사실이 문제가 될 거라고 생각하지 않았다. 그러나 마중이의 예상과 달리 소문은 점점 부풀려지고, 또 다른 소문을 만들며 퍼져 나갔다.

개미 마중이를 처음 봤을 때 우리랑 뭔가 다르다고 느꼈는데 암수동체였다니, 소름 끼쳐요.

나비 왜 마중이는 우리 마을에 왔을까요? 무슨 목적이 있었던 거 아닐까요?

매미 혹시 느~린마을에서 무슨 문제가 있었던 것은 아닐까요? 뭔가 께름직해요.

떠도는 헛소문의 내용보다 마중이를 힘들게 한 것은 목요클럽 회원들까지 소문에 동요하고 있다는 사실이었다. 목요클럽 회원들은 마중이가 암수동체라는 사실이 선거에 나쁜 영향을 주지는 않을지 걱정하였다.

일만이 날이 갈수록 소문이 확대되고, 주민들은 이에 동요하고 있어요. 이대로 가다간 이번 선거도 이기기 힘들겠어요.

반디 사실 저도 마중 씨를 만나는 것이 꺼려져요. 제가 이런데 다른 주민들은 오죽하겠어요. 마중 씨가 목요클럽을 위해, 그리고 우리 마을을 위해 결단을 내려야 할 때가 온 것 같아요. 미수 선생님이 목요클럽을 대표해서 마중 씨에게 말씀을 해 주시면 어떨까요?

미수 그럴 수는 없습니다. 이런 말도 안 되는 소문에 우리 목요클럽 회원들까지 휘둘리다니요!

마중이는 목요클럽 회원들이 지금까지 노력해 온 것이 자신 때문에 헛수고가 되어서는 안 된다고 생각했다. 무엇보다 자신이 미수 아줌마에게 짐이 되고 있다는 사실에 괴로웠다.

‘내가 이상마을에 계속 있으면 동료들에게 부담만 주겠구나.
어떻게 하는 것이 좋을까. 이런 나를 받아 줄 곳이
과연 있을까.’

마중이는 몇날 며칠을 혼자 고민했다. 그런 마중이 머릿속에
떠오르는 마을은 오직 한 곳뿐이었다. 바오밥나무가
나를 포근히 감싸 주던 그곳, 혐오도 미움도 없는
모두가 평화로운 그곳! 마중이는 느~린마을로 돌아가
바오밥나무에서 편안히 쉬고 싶었다.
모두가 잠든 어느 날 밤, 마중이는 조용히 이상마을을
떠났다.

우정

"할아버지, 안녕하세요."
"마중이구나. 이제는 다시 못 만날 줄 알았는데, 반갑구나.
그런데 얼굴이 많이 상했구나. 무슨 일이 있었니?"

마중이는 느~린마을로 향하는 길목에서 나이가 들어
할아버지가 된 나비를 만났다. 마중이는 보라 할아버지에게
그사이 있었던 일들을 차근차근 이야기했다.

"정말 많은 일들이 있었구나. 네가 맘고생이 심했겠어."
"네, 그래서 이제 고향으로 돌아가려고요. 고향에서
아무 고민 없이 편하게 쉬고 싶어요."
"느~린마을로 간다는 말이냐? 그건 안 된다!"

“왜요? 그러고 보니 지난번에 느~린마을에 다녀오신 이야기도 제게 해 주지 않으셨어요. 느~린마을에 무슨 일이 생겼나요?”

보라 할아버지는 한동안 말이 없다가 어렵게 입을 열었다.

"마중아, 네가 생각하는 그런 느~린마을은 이제 없단다.
아니 처음부터 존재하지 않았단다."
"그게 무슨 말씀이세요?"
"네가 어린 시절에 지냈던 그 마을을 이상적으로 기억하고
있을 뿐, 느~린마을도 이상마을과 다를 게 없는 보통
마을이란다. 나도 지난번에 느~린마을에 가서야 그걸
깨달았단다. 지금 네가 그곳에 가면 상처만 더 받을 거야."
"믿을 수 없어요. 힘들 때마다 느~린마을이 있다는 사실이
제게 힘이 되곤 했는데……. 제가 그리워했던 고향 모습은
아니더라도, 바오밥나무에서라면 편하게 쉴 수 있을 테니
느~린마을에 가겠어요."
"마중아, 느~린마을엔 더 이상 바오밥나무도 없단다.
쓰러져 죽었단다."

마중이는 털썩 주저앉았다. 영원히 살 수 있다는
바오밥나무에 도대체 무슨 일이 일어난 것일까?

"바오밥나무가 왜 죽었는지 정확한 이유는 모른다고 하더구나. 하지만 확실한 것은 인간이 함부로 자연을 다루었기 때문에 그 영향으로 일어난 일이라는 거지."

"꽃뱅이가 개구리, 쇠똥구리도 다 인간 때문에 죽었다고 하던데, 그 말이 사실이었군요. 인간이 그렇게 무서운 존재인가요?"

"인간은 자연을 비롯한 모든 것의 주인인 양 행세하고, 자연을 개발한다며 마구잡이로 훼손하고 있단다."

마중이는 단 한번도 본 적 없는 인간이라는 존재가 두려워졌다. 개구리, 쇠똥구리, 바오밥나무까지 죽인 인간이 과연 이상마을 주민들을 가만히 놔둘까?

"그런데 이해가 안 되는 것이 있구나. 이상마을 주민들이 암수동체라는 이유만으로 너를 싫어하고 피했던 거니?"

“네, 그게 왜 문제가 되는지 잘 모르겠어요. 저는 그렇게 태어난 것뿐인데, 제가 암수동체라는 것이 다른 곤충들에게 피해를 주나요?”
“아니, 그렇지 않단다. 곤충 중에는 너처럼 암수동체인 경우가 많단다. 무엇보다 그 사실을 퍼뜨린 꽃뱅이도 암수동체인 걸.”
“뭐라고요?”

마중이는 암수동체인 자신을 마을에 큰 위협이라도 되는 듯이 몰아붙였던 꽃뱅이가 자신과 같은 암수동체라는 사실에 할 말을 잃었다. 보라 할아버지는 말했다.

“꽃뱅이는 이상마을 주민들이 어떤 문제에 민감하게 반응할지 잘 알고 있는 것 같구나. 자신도 같은 입장이라 위험해질 수 있는데, 그 위험을 감수하면서까지 암수동체 문제를 거론한 걸 보면, 너를 정말 마을에서 쫓아내고 싶었던 모양이야.”
“…….”
“네가 이렇게 이상마을을 떠났으니, 꽃뱅이는 원하는 것을 이룬 셈이구나.”

마중이는 자신이 꽃뱅이의 의도대로 움직였다는 것을 깨닫자 허탈해졌다.

마중이가 혼란에 빠져 있는 그때, 이상마을에서는 목요클럽 회원들의 긴급회의가 열렸다.

미수 마중 씨가 이상마을을 떠났습니다. 꽃뱅이의 의도대로 마중 씨를 멀리한 우리 탓입니다.

반디 네, 그렇지 않아도 마중 씨가 떠났다는 소식을 듣고 마음이 많이 무겁습니다. 생각해 보니 누구나 그렇듯이 마중 씨도 조금 다른 모습으로 태어난 것뿐인데 이번 일로 혼자서 얼마나 고민이 많았을까요? 마중 씨가 곤경에 처했을 때 옆에서 힘이 되어 주지 못한 제 자신이 부끄럽습니다.

일만이 저 역시 당장 선거 걱정만 하며 함께 토론하던 동료를 떠나가게 만든 것을 반성하고 있습니다.

미수 모두의 생각이 그렇다면 이렇게 앉아만 있을 때가 아니에요. 마중 씨를 함께 찾으러 가요!

반디·일만이 네, 좋습니다!

목요클럽 회원들은 함께 길을 나섰다. 얼마 지나지 않아 미수 아줌마는 마중이가 남긴 끈끈한 액체의 흔적을 찾아냈다. 목요클럽 회원들은 그 흔적을 따라 마중이를 찾아 나섰다.

한편 꽃뱅이는 마중이가 이상마을을 떠났다는 소식에 뛸 듯이 기뻐했다. 이번 선거에서도 승리한 것과 다름없다는 생각에 매일 열던 선거 전략회의 대신 축하 파티를 열었다. 그렇게 며칠을 보낸 꽃뱅이는 문득 목청이가 보이지 않는다는 사실을 깨달았다. 이상한 느낌에 반딧불이를 목청이의 집으로 급히 보냈으나, 홀로 돌아온 반딧불이 손에는 편지 한 통만이 들려 있었다.

내 친구 꽃뱅아.

그동안 고마웠어. 네 덕분에 남들보다 배부르게 지낼 수 있었어. 하지만 배가 부를수록 내 마음은 더 허기가 졌어.
나는 부끄러움을 무릅쓰고 먹고살기 위해 느~린마을 친구들과의 우정을 저버렸어. 결국 미노를 멀리 떠나보냈고, 마중이에게도 친구로서 정말 못할 짓을 했지.

일단 나부터 살아야겠다는 생각에 마중이를
모함하는 계획을 네게 건넨 이후, 나는 내내 괴로웠어.
네가 원한 대로 마중이가 이상마을을 떠났으니
이제 내 역할은 다했다는 생각이 들어.
나는 종종 우리 관계에 대해 생각하곤 해.
우리는 이상마을에 온 이후 항상 함께 있었지만,
결코 이전처럼 평등한 관계는 아니었지.
우리는 평등하지 않기에 더 이상 친구라고 부를 수도
없는 비참한 관계가 되어 버렸어. 그래서 더 늦기
전에 네 곁을, 그리고 이 마을을 떠나려고 해.
우리 예전에 같이 부르던 노래 기억나니?
난 함께 노래 부르던 그 시절이 너무 그립구나.
부디 건강해라.

네 친구 목청이가.

꽃뱅이는 목청이가 자신을 배신한 거라고 생각했다. 배신감에 몸을 떨며 화를 내던 꽃뱅이는 금세 목청이를 대신할 후임자로 반딧불이를 임명했다. 꽃뱅이에게 목청이는 딱 그만큼의 존재였던 것일까?

이상마을에서 어떤 일이 벌어지고 있는지 알 리 없는 마중이는 자신의 처지가 억울하고 외로웠다.

"할아버지, 꽃뱅이는 저를 왜 그렇게 미워하는 걸까요? 목청이도 꽃뱅이와 같은 마음일까요? 제가 말도 없이 이상마을을 떠난 지금 미수 아줌마는 어떤 생각을 하고 계실까요? 왜 우정은 변하는 걸까요?"
"우리가 처음 만났을 때 내가 우정에 대해 한 말 기억나니? 우정이 변하는 것이 꼭 친구만의 문제는 아니라고 했었잖아."
"그럼 무엇 때문에 변하는 거죠?"
"친구가 처해 있는 상황 때문일 수도 있지. 그러니 친구가 처한 환경과 구조를 살펴봐야 한단다."
"환경과 구조……."

마중이는 보라 할아버지의 말을 듣고 친구들이
어떤 상황에 처해 있는지 곰곰이 생각해 보았다.
부잣집에서 태어난 꽃뱅이는 어쩌면 본인에게 주어진
삶을 나름 충실히 살려고 노력한 것인지도 모른다.
물론 그 방법이 잘못되긴 했지만 말이다. 목청이도
살기 위해 어쩔 수 없는 선택을 한 것은 아닐까.
그런데 이런 생각을 하다 보니, 마중이는 두 친구가
어떤 상황에 놓여 있었는지, 어떤 고민이 있었는지 제대로
알지 못했다는 것을 깨달았다. 꽃뱅이의 잘난 모습에 지레
기가 죽어서, 매번 바쁘다고 하는 목청이 말에 쫓겨서
두 친구와 제대로 된 대화를 하려는 노력조차 하지 않았다.

‘내가 알려고 하지 않았기 때문에 친구들의 잘못된 판단을
막을 기회조차 갖지 못했구나.’

목요클럽 회원들 대부분이 자신에게 등을 돌렸을 때
안타까운 눈으로 바라보던 미수 아줌마의 마지막 표정이
떠올랐다. 자신이 떠난 후 미수 아줌마는 얼마나 외로웠을까
하는 생각이 들자, 미수 아줌마에 대한 서운함은 미안함으로
바뀌었다. 선거를 앞두고 예민할 수밖에 없는 목요클럽
회원들의 입장에서 생각해 보지 않은 자신의 행동도
후회되었다.

생각에 빠진 마중이를 조용히 지켜보던 보라 할아버지는
따뜻한 눈길을 보내며 입을 열었다.

“마중아, 알고 있니? 너는 강한 존재란다.”
“저는 그냥 평범한 민달팽이인 걸요. 제가 잘하는 거라고는
친구들과 잘 지내는 것뿐이었는데, 생각해 보니
제 노력이 부족해서 우정마저 지키지 못했어요.”
“너는 우정 속에서 아프기도 했지만, 그만큼 많이
성장했단다. 우정은 삶에서 얻을 수 있는 최고의
보물이거든. 그리고 잊지 마렴. 네 친구들은 아직 그 자리에
그대로 있다는 사실을 말이야.”

"……."

"사실 이상마을에서 나는 늘 혼자였단다. 혼자 분노하고 혼자 절망했지. 그런데 마중이 너는 나와 달리 목요클럽이라는 동료들이 있잖아. 그래서 네가 강한 존재라는 거란다."

마중이는 보라 할아버지의 말을 들으며 조용히 지난날을 떠올렸다. 마중이는 느~린마을에서 친구들과 어울려 노래 부를 때 제일 행복했다. 꿈과 친구를 찾아온 이상마을에서 힘든 일도 많이 겪었지만, 미수 아줌마가 큰 힘이 되어 주었고 일만이, 반디 등 새로운 동료도 얻었다. 자신이 힘들 때마다 대화를 통해 깨달음을 주었던 보라 할아버지 또한 소중한 친구였다. 이제 더 늦기 전에 목청이, 꽃뱅이와도 솔직한 대화를 나눠야겠다는 생각이 들었다. 외롭다고만 생각했던 마중이는 자신이 혼자가 아님을, 항상 좋은 친구들이 있었음을 깨달았다. 그 친구들과의 우정을 통해 많은 것을 배웠고, 새로운 도전도 할 수 있었다. 마중이와 친구들은 이상이 일상이 되는 상상을 갓 시작하지 않았던가.

며칠이 지났다. 어딘가를 향해 걷고 있던 마중이는 드디어 언덕에 다다랐다. 미수 아줌마와 함께 처음 이상마을에 도착해 내려다보았던 그 언덕이었다. 이제는 원 모양의 이상마을이 한눈에 들어왔다. 마중이는 느~리지만 뚜벅뚜벅 마을 속으로 걸어 들어갔다. 친구들과 새로운 도전이 기다리고 있는 곳으로.

해설

이 책을 더 재미있게 읽기 위하여

1. 이 책의 기본 관점

행복의 조건

이 책은 권리에 관한 이야기이다. 우리나라는 헌법에 모든 국민은 행복을 추구할 권리를 가지고, 국가는 이를 보장할 의무가 있다고 명시하고 있다. 그렇다면 행복은 어떻게 실현될 수 있을까? 모두가 '인간으로서 당연히 가지는 기본적 권리' 즉 인권을 보장받는 토대 위에서 행복이 실현된다. 이에 대한 통찰을 얻을 수 있는 책이 아리스토텔레스의 『정치학』과 『니코마코스 윤리학』이다.

『이상이 일상이 되도록 상상하라: 민달팽이의 인권 분투기』는 아리스토텔레스의 행복론에 기반하고 있다. 그는 인간이 행복해지려면 자신만이 가진 고유의 탁월성을 드러낼 수 있어야 하고, 그러기 위해서는 우정과 좋은 공동체가 필요하다고 보았다. 우정은 구체적으로 다음의 네 가지 요소를 통해 만들어지고 유지된다.

첫째, 상대방에게 호의를 갖고 있어야 하고, 서로 상대방의 호의를 알아야 한다.

둘째, 우정은 평등한 관계에서 형성된다. "내는 니 시다바리가?"[1]라는 영화 대사와 같은 주종 관계에서는 친구가 될 수 없다.

셋째, 아리스토텔레스는 우정을 형성하는 데 소금 한 가마니가 필요하다고 말한다. 소금 한 가마니를 나눠 먹을 정도의 많은 시간을 함께 보내기 전에는 서로를 알 수 없기 때문이다. 이때 소금 한 가마니란, 그저 흘러가는 시간이 아니라 노력을 들인 시간을 의미한다.

이처럼 호의, 평등한 관계, 그리고 소금 한 가마니로 상징되는 시간은 우정의 필수 요소이다. 아리스토텔레스는 여기에 하나의 요인을 더 추가한다. 그것은 좋은 공동체 형성을 지향해야 한다는 점이다. 깡패들도 서로 호의를 가지고 평등한 관계를 맺으며 많은 시간을 함께 보낸다. 하지만 아리스

---

1 영화 〈친구〉의 주인공이 자신을 무시하는 고등학교 동창에게 한 말로, '시다바리'란 허드렛일을 하는 조수를 뜻하는 비속어이다.

토텔레스의 우정론에 따르면 이것은 우정이 아니다. 왜냐하면 그들은 좋은 공동체 형성에 관심이 없기 때문이다.

이상에서 보듯이 아리스토텔레스는 개개인의 탁월성이 드러날 때 행복해지는데, 이는 개인의 노력과 함께 우정과 좋은 공동체가 있어야만 가능하다고 보았다. 이 책에서도 개개인이 생명 그 자체로 존중받으며 살아가려면 우정, 그중에서도 사회에서 동료들과 맺는 사회적 우정과 좋은 공동체가 필수적이라고 본다.

이와 같은 관점은 이 책의 등장인물인 네 친구가 함께 부르는 노래에 집약되어 있다.

나는 민달팽이, 너는 나비
나는 딱정벌레, 너는 매미
생김새는 다르지만 모두 다 소중해
먹고, 놀고, 잔다, 다 함께
우리는 사촌사, 우리는 친구
바오밥나무는 우리를 지킨다

너는 민달팽이, 나는 나비
너는 딱정벌레, 나는 매미

꿈은 다르지만 모두 다 소중해
먹고, 놀고, 잔다, 다 함께
우리는 사총사, 우리는 친구
바오밥나무는 우리가 지킨다(p.21)

노랫말의 '나는', '너는'처럼 서로를 부르는 것은 서로에게 호감이 있고, 이것을 서로 알고 있다는 것을 의미한다. 생김새나 꿈이 다르다고 해서 누구는 더 소중하고, 누구는 덜 소중한 존재가 아니다. 서로 다른 것일 뿐 모두 소중한 존재이다. 즉 있는 그대로의 모습으로 서로를 존중하고 존중받는 평등한 친구이다. 다 함께 먹고, 놀고, 잔다는 것은 소금 한 가마니를 나누어 먹을 정도의 오랜 시간을 함께 보낸다는 의미이다. 이들이 오랜 시간 서로 잘 지낼 수 있었던 것은 바오밥나무가 있었기 때문이다. 여기서 바오밥나무는 좋은 공동체를 상징한다. 좋은 공동체인 바오밥나무가 우리의 우정을 지켜 주듯이 우리도 바오밥나무, 즉 좋은 공동체를 지키려고 한다.

이처럼 행복은 존중받으며 자신의 잠재적인 탁월성을 드러내는 것이다. 이런 행복이 가능하려면 우정과 좋은 공동체가 필수적이다. 그러나 우정과 좋은 공동체는 저절로 주어지는 것이 아니라, 구성원들의 노력, 즉 자기 목소리로 공동체에 참여하는 정치를 필요로 한다. 이런 점에서 아리스토텔레스는 인간을 정치적 동물이라고 보고, 공동체에 참여하여 우정을 나눌 것을 강조한다.

인간의 권리에 관하여

인간은 부단한 실천을 통해 권리를 획득하였다. 권리를 획득하기 위해서는 우선 자신의 권리가 무엇인지를 인지하고, 그것을 실현할 권력을 가져야 한다. 권리에 관한 이 책의 관점을 요약하면 다음과 같다.

① 모든 인간은 권리를 갖고 있다. 인간의 권리는 빵과 장미와 관련되어 있다.
② 모든 인간은 권리를 자각하고 부당한 질서에 대해 분노해야 한다.
③ 권리는 권력이 있을 때 얻을 수 있다. 시민력은 우정과 연대의 기반 위에 형성된다.

① 모든 인간은 빵과 장미의 권리를 갖고 있다

권리는 하늘에서 뚝 떨어지는 것이 아니라 부단한 실천 과정을 통해 획득하는 것이다. 이런 점에서 권리는 갈등과 타협, 그리고 혁명의 산물로서 매우 정치적이다.

그렇다면 권리란 무엇인가? 권리는 '빵'과 '장미'로 상징된다. 빵은 생존에 필수적인 의식주를 의미한다. 「베버리지 보고서」는 빵을 보장받을 권리에 대해 체계적으로 서술한 역사적인 보고서이다. 베버리지는 국가가 나서서 결핍, 무지, 질병, 불결, 나태 등 5대 악을 막아야 한다고 보았다. 결핍은 소득 보장으로, 무지는 의무 교육으로, 질병은 공공 의료로, 불결은 공공 주택으로, 나태는 완전 고용의 방법으로 해결해야 한다. 시민은 이것을 자신의 권리, 즉 사회권으로 인식하고 국가에게 요구할 권리가 있다. 그리고 국가는 시민의 요구를 이행할 의무가 있다.

빵을 보장받기 위한 권리, 즉 사회권의 구체적인 내용은 정해져 있지 않다. 시대적 흐름이나 권리 주체의 요구에 따라 삭제되거나 추가된다. 오늘날 주목할 권리로는 돌봄과 쉼이 있다. 돌봄은 저출생, 노령화와 연관이 깊다. 전통적으로 돌봄은 개인과 가족이 책임져야 할 영역이었다. 그러나 소득,

교육, 의료, 고용 등이 불안정한 상황에서 출산으로 인해 경력 단절까지 겪는다면 누가 아이를 낳으려고 할 것인가. 따라서 저출생 문제는 돌봄의 사회화 관점에서 접근해야 한다. 쉼의 문제 역시 개인이 아닌 구조적인 관점에서 고찰해야 한다. 자본주의는 저임금, 장시간의 강도 높은 노동, 그리고 촘촘한 감시체계를 통해 시민의 몸을 규율한다. 이윤 극대화를 위해서다. 기계가 인간의 노동을 대체하며 생산력은 높아졌으나, 인간은 여전히 장시간의 강도 높은 노동에 시달리고 있고, 산업재해도 계속 발생하고 있다. 사회주의 운동가 폴 라파르그는 자본주의가 일할 권리와 근면이라는 이데올로기를 앞세워 노동계급의 착취를 정당화하고 있다고 비판한다. 그는 망아지와 말처럼 인간도 게으를 권리가 있다고 주장한다.

> 어미 말은 임신하자마자 일체의 노동에서 벗어나 농촌으로 보내져 평화롭고 안락한 분위기에서 새끼를 출산한다. 그러고는 새끼에게 젖을 먹이고, 새끼가 다 자랄 때까지 마음껏 뛰놀 목초지에서 맛있는 풀을 고르는 법을 가르치기 위해 새끼 곁에 머문다.
>
> —라파르그, 『게으를 권리』, p.148

말조차 돌봄과 쉼을 보장받는데, 인간은 소수의 이윤을 위해 권리를 보장받지 못한 채 희생되고 있다. 라파르그는 인간 스스로 이윤의 도구이기를 거부하고, 인간답게 노동할 권리와 게으를 권리를 쟁취해야 한다고 주장한다.

이상에서 보듯이 빵은 사회권과 깊이 연관되어 있다. 그렇다면 장미는 무엇인가? 제임스 오펜하임은 시 「빵과 장미」에서 인간은 생존을 위한 빵뿐만 아니라 예술, 사랑, 아름다움 등의 장미가 있어야 완성되는 존재라고 말한다. 이때 장미는 인간의 존엄, 품위, 인정, 존중 등의 실존과 연관되어 있다. 생각하고 말할 권리인 자유권은 장미를 위해 보장되어야 할 필수적인 권리이다.

중요한 점은 빵이 없는 장미는 불가능하다는 것이다. 우리는 배부른 돼지가 될 것인가, 배고픈 소크라테스가 될 것인가를 묻곤 한다. 하지만 인간이라면 돼지가 되어서는 안 된다. 그럼 배고픈 소크라테스가 되어야 하는가? 이것은 소크라테스라면 가능할지 모른다. 소크라테스가 살던 시대만 해도 생산은 노예와 여성의 몫이었다. 그래서 생산을 담당하지 않았던 소크라테스는 굶어 죽을 정도의 배고픔을 경험하지는 않았을 것이다. 하지만 오늘날 배고픈 시민은 생존이 불가능하다. '무소유는 가진 뒤의 자유', 즉 최소한의 생존이 보장된 사람들만이 무소유가 주는 자유를 누릴 수 있다고 주장한 백무산의 시 「무무소유」는 배고픈 시민은 생존할 수 없음을 역설하고 있다.

이 책에서는 빵과 장미를 평등을 보장하기 위한 핵심 조건으로 본다. 인종, 국적, 출신 지역, 성별, 성 정체성 등 차별의 잠재적 요소는 도처에 널려 있다. 그러나 구성원이 빵과 장미를 누릴 수 있는 사회에서는 자기 목소리로 차별에 맞설 수 있다. 이 책은 빵과 장미를 기반으로 누구나 존재 그 자체로 존중받아야 하며, 모든 형태의 차별에 저항할 수 있어야 한다고 주장한다.

이상의 맥락에서 이 책은 '누구도 배고프지 않고 평등한 소크라테스의 사회'를 지향한다. 배고프지 않다는 것은 생존의 문제가 해결됨을 뜻하고, 소크라테스는 생각하고 말할 수 있음을 의미한다. 모두가 배고프지 않고 평등한 소크라테스가 된다면, 차별에서 자유로울 수 있다.

누구도 배고프지 않고 평등한 소크라테스의 사회가 어떤 사회인지는 천륜, 시민권, 인권, 생명권 등 여러 권리를 비교함으로써 좀 더 쉽게 이해할 수 있다. 그림 1에서 보듯이 천륜은 가정에서 가족 구성원으로서 누리는 권리이다. 부모는 자식이 가정에 어떤 기여를 하고 어떤 업적을 남겼는지 상관없이 요람에서 무덤까지 자식을 책임져야 한다. 이때 가족의 돌봄은 자식에게 권리이다. 성경의 '돌아온 탕자' 비유를 통해 천륜의 의미를 생각해 볼 수 있다. 아버지는 재산을 탕진하고 돌아온 아들을 반갑게 맞이하여 재워 주고, 먹여 주고, 입혀 준다. 왜냐하면 부모와 자식은 천륜으로 묶여 있기 때문이다.

천륜이 가족이 아닌 이웃에게로 확장될 수 있을까? 그림 1에서 보듯이 인간은 가정 밖에서 국가라는 공동체를 형성해 살고 있다. 가정의 구성원이 가족이라면 국가의 구성원은 국민이다. 가족 간에 평등하고 인간답게 살 수 있는 권리가 천륜이라면, 국민이 인간답게 살 수 있는 권리는 시민권이다. 마셜에 따르면 시민권은 자유권, 정치권, 사회권으로 나뉜다. 즉 국민은 말하고, 정치에 참여하고, 빵을 권리로 요구할 수 있어야 한다. 그렇다면 국가 밖에 있는 사람들도 이런 권리를 가지는 것이 가능할까? 이것이 가능하다는 근거가 인권이다. 시민권이 근대국가의 국민을 대상으로 한 권리라면, 그림 1에서 보듯이 인권은 지구촌의 모든 인간(지구촌의 시

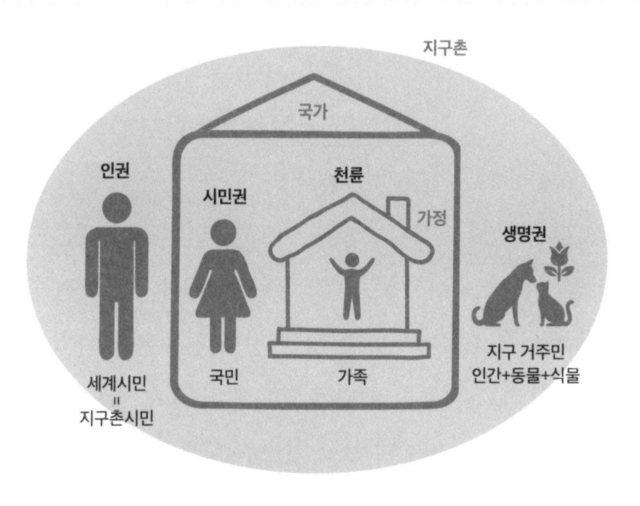

그림 1. 공동체와 권리의 확장

민이라는 의미에서 '세계시민'이라고 부른다)을 대상으로 한 권리이다. 그러므로 지구촌에 있는 모든 인간은 인권이라는 권리를 갖고 있고, 무조건적으로 요람에서 무덤까지 이 권리를 주장할 수 있어야 한다. 난민이든 외국인 노동자든 국적에 상관없이, 기여와 업적에 상관없이, 모두 인권이라는 이름으로 최소한 인간답게 살 권리를 요구할 수 있다.

표 1. 공동체의 주체와 권리

공동체 / 주체와 권리	가정	국가	지구촌	
주체	가족	국민	지구촌시민 =세계시민	지구 거주민 =인간+동물+식물
권리	천륜	시민권	인권	생명권

결론적으로 표 1에서 보듯이 가정의 천륜은 국가의 시민권으로, 그리고 지구촌의 인권으로 확장될 수 있다. 시민권과 인권은 특정 공동체에 살고 있는 구성원의 권리라는 점에서 같은 개념이다.

그렇다면 인간이 아닌 존재들은 어떠한가? 동물과 식물은 아무 권리도 없는 것일까? 라투르와 슐츠의 『녹색 계급의 출현』에 따르면, 인간이 생산을 위해 자연을 파괴한 반면 동물과 식물은 끊임없이 자연을 생성해 왔다. 그런데도 인간은 동물과 식물을 인간을 위한 존재로만 여기며 차별하였다. 그 결과 인간은 오늘날 기후위기와 바이러스의 공격을 마주하고 있다. 이와 같은 위기는 인간만 소중한 생명이라고 여기는 오만한 생각에 경종을 울린다. 그림 1의 맨 오른쪽 그림처럼 생명권은 지구 거주민, 즉 인간은 물론 동물과 식물 모두를 포괄하는 권리이다.

이처럼 가정, 국가, 지구촌의 모든 생명은 권리를 가진다. 이 권리는 누구도 배고프지 않고 평등한 소크라테스의 사회에서 자기 목소리로 공동체에 참여하며 살 수 있는 근거가 된다.

② 모든 인간은 권리를 자각하고 부당한 질서에 분노해야 한다

한국의 문화 콘텐츠가 세계를 휩쓸고 있다. 이 중에서도 영화 〈기생충〉과 넷플릭스 드라마 〈오징어 게임〉이 세계인들의 주목을 끌었다. 세계인들은 두 작품의 높은 완성도에 감동하는 동시에 큰 충격을 받았다. 한국의 극심한 불평등이 작품 속에 적나라하게 드러나 있었기 때문이다.

특히 한국 노인들의 삶은 극심한 위기에 처해 있다. 노인 빈곤율과 노인 취업률이 모두 40% 수준이다. 이는 한국이 죽을 때까지 일을 해야만 먹고살 수 있는 사회라는 것을 의미한다. 노인의 빈곤율과 취업률에 이어 노인 자살률도 OECD 국가 중 압도적인 1위이다. 사회권이 보장되었다면 성립되지 않았을 수치이다. 그러나 한국의 노인들은 '가난은 나라도 구하지 못한다'는 생각을 강요받으며 살아왔다.

즉 이들에게 빈곤은 개인이 짊어져야 할 운명이다. 「베버리지 보고서」의 권리를 알지도 못하지만, 설사 안다고 하더라도 받아들이지 못한다. 받아들인다 하더라도 말하지 못한다. '빨갱이'란 소리를 듣기에 딱 좋기 때문이다. 국가가 사회권을 보장하지 않는 것에 대해 분노하기는커녕 사회권을 반대하거나 침묵한다.

프레이리는 시민들이 자유에 대한 두려움을 갖고 있으며 그 결과 침묵의 문화가 형성된다고 주장한다. 시민들이 자신의 의견을 말하고, 자신을 드러내는 자유가 허용되는 것을 오히려 부담스러워한다는 것이다. 자유를 누리다 보면 지배자들의 눈 밖에 나게 되고, 곧 해고와 배제로 귀결된다고 생각하기 때문이다. 이런 자유에 대한 두려움으로 침묵의 문화가 자연스럽게 생겨난다.

> 세 모임 모두에서 나타난 반응은 '자유에 대한 두려움'이었다.
> 이들은 현실에서 탈출함으로써, 즉 진실을 숨김으로써
> 현실에 '길들여지려고' 노력하고 있었다.
> 이런 지난 일들과 사람들이 보여준 여러 반응을 회상하는
> 바로 이 순간, 이것과 매우 흡사한 다른 일이 떠오른다.

> 그것은 지배당하는 사람들 스스로가 지배 이데올로기에 동화되고 그것을 내면화하는 또 다른 사례이다. 즉, 내가 『페다고지』에서 진술한 것처럼, 피억압자의 반쯤 망가진 몸과 영혼에 '기거하며' 그것을 지배하고 있는 억압자를 보여주는 사례다.
> —프레이리, 『희망의 교육학』, p.87

프레이리는 침묵과 두려움의 원인을 부당한 질서에서 찾고, 이 질서에 따른 또 다른 현상인 수평적 폭력에 주목한다. 경기 침체, 높은 실업률, 비정규직에 대한 차별, 저임금 장시간 노동 등은 개인을 불안하게 만든다. 이때 개인은 부조리한 현실에 대항하기보다 가족이나 이웃에게 폭력을 행사함으로써 감정을 해소하는 경향이 있다. 이것이 수평적 폭력이다.

프레이리는 시민이야말로 불평등, 억압, 자유의 공포, 침묵의 문화 등의 부당함을 해결할 수 있는 존재라고 본다. 지배자가 부당한 질서를 유지하려 한다면, 시민은 이를 변화시킴으로써 모두를 해방시킬 수 있다. 해방의 출발점은 시민이 부당한 질서를 자각하고 이에 대해 분노하는 데에 있다. 부당한 질서가 사라지면 피지배자는 물론 지배자도 해방될 수 있다. 이런 점에서 프레이리는 시민이 맞서야 하는 대상은 부당한 질서 자체이고, 이를 통해 모든 인간이 해방될 수 있다고 주장한다.

인간뿐만 아니라 동물과 식물도 부당한 질서에 저항하기 시작했다. 인간은 그동안 동물과 식물을 인간을 위해 존재하는 대상으로만 취급해 왔다. 종차별을 해 온 것이다. 종차별주의자들의 입장에서 볼 때 인간은 동물과 식물보다 우위에 있는 존재이므로 동물과 식물의 권리를 침해하는 것이 가능했다. 잡초는 인간에게 유용성이 발견되지 않은 풀이므로 제초제로 제거하는 것을 당연히 여긴다. 농업경제학자 카디너가 쓴 『미움받는 식물들』의 한국 번역서의 부제는 '아직 쓸모를 발견하지 못한 꽃과 풀에 대하여'이다. 그는 "식물은 인간 없이 잡초가 될 수 없고, 인간은 잡초 없이 지금의 인류가 될 수 없었다."[2]라는 말로 잡초와 인간의 공진화, 즉 협력 관계를 설명한다. 식물과 마찬가지로 동물 역시 인간의 이익을 위한 도구로 수명대로 살지 못하고 어린 나이에 도살된다. 근대화는 인간의 이익을 위해 이들을 무자비하게 착취하는

2 존 카디너, 『미움받는 식물들』, p.13.

역사였다.

그러나 동물과 식물은 그대로 당하고만 있지 않았다. 바이러스로, 생태 위기로, 지구온난화로 인간에게 지속적인 경고를 보내고 있다.

이들은 말한다. '우리도 너희와 같은 생명이다!' 생명권의 관점으로 생각을 확장해 보면 동물과 식물은 인간과 마찬가지로 지구 거주민으로 함께 살아가야 할 존재이다. 또한 인간은 자연을 생성하고 있는 동물과 식물의 도움 없이는 살아갈 수 없는 존재이다.

천륜, 시민권, 인권 그리고 생명권은 어떤 상황에서든 그 공동체의 구성원이라는 지위만으로 차별받지 않을 권리가 있음을 의미한다. 따라서 인권은 여성, 장애인, 외국인, 성 소수자라는 이유만으로 행해지는 차별에 저항한다. 이러한 권리는 권리를 자각한 시민들의 투쟁을 통해 얻어진 것이다. 그래서 인권의 역사는 투쟁의 역사이고 정치적 타협의 역사이다.

③ 권리는 권력이 있을 때 얻을 수 있다

일반적인 청소년 노동인권 강의에서 빠짐없이 강조하는 내

용이 있다. 일자리를 구했을 때 반드시 근로 계약서를 써야 한다는 것이다. 그런데 실제 노동 현장의 청소년들은 대부분 이 말을 하지 못한다. 일자리를 잃을지도 모른다는 두려움 때문이다. 근로 계약서를 쓰지 못한 청소년은 자괴감에 빠진다. 권리를 알고 있음에도 불구하고 이를 요구하지 못한 것이 자신의 용기가 부족한 탓이라고 생각하기 때문이다. 과연 그럴까?

'권리는 권력과 함께라야 살아 숨 쉰다.'[3] 필자가 강의에서 자주 하는 말이다. 권리를 자각했다고 해서 그것을 바로 실현할 수 있는 것은 아니다. 힘이 없다면 권리는 그림의 떡에 불과하다. 사회운동가 알린스키는 저서 『급진주의자를 위한 규칙』에서 시민들은 권리를 관철할 수 있는 힘이 있어야 하고, 그 힘은 조직에서 나온다고 말한다.

노동자들의 힘은 그들의 조직인 노동조합에서 나온다. 노동자들은 힘을 갖기 위해 조직을 결성할 권리가 있다. 노동 3권인 단결권, 단체교섭권, 단체행동권은 노동자의 권리를 보

---

3 〈권리의 눈으로 본 나눔의 예술〉
(https://www.youtube.com/watch?v=bJc5ZFMOOPU)

장하는 기본권이다. 서유럽의 마을은 권리를 자각하고 조직화된 시민들로 북적인다. 서유럽의 청소년들은 권리뿐만 아니라 권력을 갖기 위한 방법에 대해서도 공부하고 경험한다. 이처럼 노동조합과 마을, 학교는 자기 목소리로 공동체에 참여하는 노동자와 시민들의 우정과 연대의 광장이 될 수 있다. 모든 권리는 권력이 있을 때 얻어지고 확장될 수 있다. 시민력은 우정과 연대에 기반하여 얻어진다.

이 책은 권리는 앎(자각)과 힘(조직)을 기반으로 자신을 드러내는 것이라고 본다. 즉 권리를 알고 권력을 갖고자 실천할 때 권리는 실현된다. 다시 말해 이상이 일상이 되도록 상상하고, 상상이 일상이 되도록 실천할 때 권리는 실현되는 것이다. 이것은 시민들이 자기 목소리로 공동체에 끊임없이 참여하는, 자각과 조직화의 시민 정치를 필요로 한다.

대화와 학습동아리 그리고 진정한 사랑

권리는 행복 실현을 위해 필수적이다. 그런데 권리는 혼자의 힘으로는 획득할 수 없다. 자신이 권리를 가진 존재라는 것을 알고, 함께 모여 조직된 힘으로 싸울 때에 비로소 권리를 쟁취할 수 있다. 이 책은 권리에 대해 학습하고 조직화하는 가장 기초적이며 핵심적인 단위가 학습동아리라고 본다. 북유럽의 시민들은 학습동아리에 모여 자신들의 권리를 자각하고 이를 실천한다. 그래서 학습동아리가 근간을 이루는 북유럽의 민주주의를 '학습동아리 민주주의(study circle democracy)'라고 부른다.

그림 2에서 보듯이 국가의 시민과 지구촌의 인간은 학습동아리를 조직하여 권리를 확인한다. 학습동아리의 목표는 자본이나 소수의 이권이 아니라 인간을 중시하는 'People First'이다. 이 가치는 첫째 누구도 배고프지 않는 소크라테스의 공동체, 둘째 차이가 편안히 드러나는 공동체의 형성을 지향한다. 누구도 배고프지 않고, 차별받지 않으며 자유롭게 말할 수 있는 공동체를 형성하기 위해 시민 조직화를 하는 것이다. 이처럼 학습동아리는 'People First'의 실현을 위해 시민들이 일상적으로 만나는 장소이다. 그런데 학습동아리는 저절로 만들어지는 것이 아니다. 학습동아리가 만들어지기 위해서는 활동가, 즉 교육조직가의 역할이 중요하다. 교육을 통해 시민들을 조직화하는 교육조직가는, 시민이라면 누구나 될 수 있다.

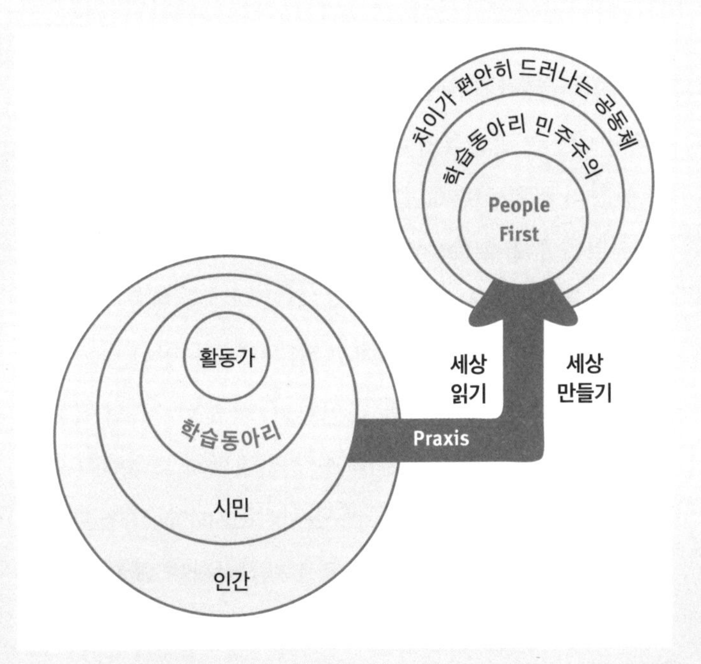

그림 2. 시민 조직화 구상도

이상에서 보듯이 학습동아리는 인간과 시민들이 권리에 대해 질문하고 토론하는 광장이다. 광장에서는 그림 2에서 보듯이 프락시스(praxis), 즉 의미를 물으면서 실천하는 대화와 행위가 이루어진다. 이 책은 프레이리의 세상읽기를 통한 시민교육과 알린스키의 세상만들기 전략에 주목한다. 프레이리는 『페다고지』에서 시민들이 부당한 질서를 함께 읽고, 이를 극복하기 위한 토론의 광장을 문화 서클로 보았다. 문화 서클, 즉 학습동아리는 세상읽기의 광장이고 세상만들기 실천의 거점이다. 알린스키는 부당한 질서를 극복하는 방법이 빈민층과 중산층의 조직화에 있다고 보고, 이에 대한 전략과 전술을 제시한다. 세상을 읽고 세상을 만드는 행위는 가치지향적인 활동(action)이고, 의미를 물으면서 변화를 추구하는 프락시스이다.

프락시스는 의미를 묻는 실천으로, 대화의 과정에서 이뤄진다. 대화는 근본적인 질문에서 시작된다. 나는, 우리는 누구인가? 왜 빵과 장미의 결핍 속에 비인간화의 삶을 살고 있는가? 이 질문은 부당함에 대한 분노로 이어진다. 분노는 대화를 통해 공감으로 이어지고, 공감은 동료들과 함께 실천하고자 결단할 때 변화를 만들어 낸다. 이 과정은 그림 3에서 보듯이 질문 → 분노 → 대화 → 변화 → 질문 → 분노 → … 와 같은 패턴을 따른다.

질문과 분노는 혼자 할 수도 있지만, 토론하는 동료와 함께할 때 종합적인 성찰이 가능하고 연대로 나아갈 힘을 얻을 수 있다. 따라서 질문, 분노, 변화의 모든 과정은 동료 시민들

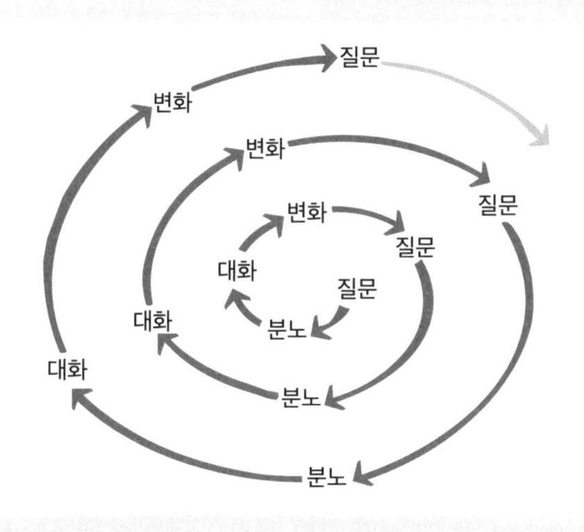

그림 3. 질문, 분노, 대화의 관계

과 함께 대화를 통해서 이루어질 때 가장 역동적이다. 이 책에서는 시민들의 질문이 부당한 질서에 대해 분노하고, 이를 해결하기 위한 근본적인 대안을 찾는 대화의 출발점이라고 본다. 시민들은 우정의 대화를 통해 세상읽기를 하고 세상만들기를 시도할 수 있다.

프레이리는 진정한 사랑과 허구적 관용을 대비되는 개념으로 사용한다. 허구적 관용은 부당한 질서를 변화시키지 않고 그대로 둔 채, 상대를 불쌍하게 여기고 도와주려는 태도이다. 이에 반해 평등한 대화를 통해 부당한 질서를 변화시키려는 과정이 진정한 사랑이다. 이런 맥락에서 질문, 분노, 대화, 변화는 진정한 사랑의 핵심적인 요소이다.

> 나는 내가 알지 못하는 것이 많은 반면 아는 것도 많음을 알고 있다. 그러하기에 아직 알지 못하는 것을 알 수 있으며, 마찬가지로 이미 알고 있는 것을 더 잘 알 수도 있다.
> —프레이리, 『자유의 교육학』, p.113

프레이리는 모든 것을 다 아는 사람도 없고 아무것도 모르는 사람도 없으므로, 서로 배우고 가르치는 평등한 대화를 제안한다. 평등한 대화는 상대를 보고 놀랄 준비가 되어 있는 상태에서 시작되며, 이것은 상대를 존중하는 진정한 사랑의 대화이다.

이상에서 보듯이 이 책은 우정과 좋은 공동체를 만들기 위해 모든 시민이 자기 목소리로 공동체에 참여해야 한다고 주장한다. 누구나 자기 목소리를 내고 좋은 공동체를 만들 권리를 갖고 있다. 이런 점에서 인권은 권리에 대해 알고, 그 앎을 권력을 통해 실천할 때 실현된다.

이 책은 지금까지 언급한 관점을 우화로 충실하게 구현하고자 노력했다. 이상마을의 활동가들은 목요클럽이라는 학습동아리를 만들고 토론을 진행하며 세상읽기를 한다. 주인공 마중이는 질문과 분노 그리고 변화를 위한 프락시스의 상징적인 존재이다. 목요클럽 회원들은 대화를 통해 이상마을의 부당한 질서를 읽고, 토론하고, 조직하여 지속적인 변화를 이끌어 낸다. 특히 삶의 터전인 생태계를 파괴하는 인간의 모습을 통해, 인간을 우위에 두고 동물과 식물을 차별하는 종차별주의를 고발한다.

2. 이야기의 구성

민달팽이의 여정

이 책의 등장인물은 동물이다. 인권을 이야기하는 데 왜 동물을 주인공으로 했을까? 어려운 주제일 수 있는 인권을 동물에 비유하여 생각하면 좀 더 쉽게 이해할 수 있기 때문이다. 또한 동물의 관점에서 권리에 접근하면 인간의 관점에서 보지 못했던 것까지 볼 수 있다. 인간은 지금까지 인간이 주체이고 모든 동물과 식물은 대상이라는 관점에서 인간의 권리에만 주목해 왔다. 그러나 동물의 입장에서 권리에 대해 생각하면 인권을 넘어 생명권으로 나아갈 수 있다.

이 책의 주요 등장인물은 개미, 나비, 딱정벌레, 매미 등 곤충들이다. 그렇다면 왜 곤충들인가? 곤충은 인간과 가장 가까운 곳에 있는 존재이며, 전체 동물의 약 4분의 3을 차지할 만큼 그 수가 많고 종류도 다양하기 때문이다. 이런 점에서

한 동물학자는 지구를 '곤충의 행성'이라고 표현했다.

> 현재 지구에는 인구 한 명당 2억 마리가 넘는 곤충이 있다. 독자 여러분이 이 문장을 읽는 순간에도 세상에는 바닷가 모래알 수보다 많은 1000조에서 1경 마리의 곤충이 날고 기어 다닌다. 좋든 싫든 곤충은 우리 주위에 널려 있다. 지구는 엄연한 곤충의 행성이니까.
> —스베르드루프-튀게손, 『세상에 나쁜 곤충은 없다』, p.15

스베르드루프-튀게손은 저서 『세상에 나쁜 곤충은 없다』에서 곤충을 '이 세계가 돌아가게 해 주는 자연의 작은 톱니바퀴'라고 표현한다. 이처럼 곤충은 없어서는 안 될 존재로 우리와 늘 함께 살고 있고, 앞으로도 함께 살아갈 것이다.

곤충에 주목한 또 다른 이유는 곤충이 생물 다양성의 대명사이기 때문이다. 곤충의 종 수는 150만이 넘고, 같은 종끼리도 모습이 다른 경우가 많다. 이런 다양성은 인간의 다양성과 차이를 드러내는 데 유용하다.

더 나아가 곤충이 인간에게 주는 유용성 때문에 곤충을 주요 등장인물로 설정했다. 곤충은 현실 세계에서 자연을 유지하고 재생산하는 등 인간에게 이로움을 제공한다. 누군가는 수많은 곤충 중 한두 종이 멸종한다고 해서 무엇이 그리 대수냐고 질문할지 모른다. 이 질문에 곤충학자 쇼는 저서 『곤충 연대기』에서 다음과 같이 답한다.

> 그 곤충이 식물의 꽃가루를 운반해 주는 역할을 한다면 어떻게 될까? 그 곤충이 사라지면 관련 식물도 사라질 것이며, 그 곤충을 먹고 사는 곤충도 함께 사라질 것이다. 이 연쇄효과야말로 생태학 문헌에서 가장 우려하고 있는 현상이다.
>
> —쇼, 『곤충 연대기』, p.300

이처럼 인간은 곤충 덕분에 살아가고 있고, 앞으로도 곤충과 공존하며 살아가야 한다. 곤충에 주목한 마지막 이유는 곤충이 인간에게 주는 교훈 때문이다.

> 이들이 문제를 해결해온 영리한 방법들은 인간에게도 도움이 될 뿐 아니라 새로운 영감을 준다.
>
> —『세상에 나쁜 곤충은 없다』, p.10

곤충이 주는 교훈에 있어 특히 흰개미의 농사 방식과 건축술에 주목했다. 흰개미는 인간보다 훨씬 오래전인 5,000만 년 전부터 농사를 지어 왔다. 수천 마리의 흰개미가 곰팡이밭에서 수백만의 흰개미들이 먹을 곰팡이를 재배한다. 그런데 곰팡이는 섭씨 30도 안팎의 특정한 조건에서만 자라는 아주 까다로운 미생물이다. 이 조건을 만들기 위해 흰개미는 놀라운 건축술을 개발했다.

> 흰개미의 농업 방식은 잎꾼개미와 비슷하지만 대신 흙과 나무 펄프를 침과 섞어 집을 짓고, 집의 일부는 땅 밑에, 일부는 땅 위에 있다. 정교한 공기 조절 시스템이 지하의 곰팡이밭 온도를 최적의 상태로 유지한다. 그리고 흰개미는 초록 잎이 아닌 막대기, 풀, 지푸라기를 집에 가져온다.
> —『세상에 나쁜 곤충은 없다』, pp.110-111

> 아프리카에서 대형 흰개미집은 지상 몇 미터 높이로 우뚝 솟아 하얀색 또는 연갈색 사회적 동물 수백만 마리에게 살 곳을 준다. 바깥은 뜨거운 열기에 구워지기 직전이지만, 집 안은 언제나 쾌적하고 온화하다. … 흰개미는 어떻게 실내 온도를 일정하게 유지할까?

기발한 풍동 시스템이 밤낮의 온도 변화를 이용해
개미집 바깥에서 집 내부로 흐르는 찬바람을 만들어낸다.
이 '인공 폐'는 시원하고 산소가 풍부한 공기는 아래로
끌어 내리고, 덥고 이산화탄소가 풍부한 공기는
위로 올려 바깥으로 내보낸다.
—『세상에 나쁜 곤충은 없다』, pp.199-200

흰개미의 농사 방식은 개미보다 더 정교하고, 건축술은 인간이 차용할 정도로 완벽하다. 아프리카 짐바브웨에 있는 이스트게이트 쇼핑센터는 에어컨이 없는 대형 쇼핑몰이다. 이 건물의 냉난방 시스템은 흰개미집의 원리를 따른 자연 냉방 시스템으로, 비슷한 규모의 다른 건물들보다 에너지 효율이 90%나 높다고 한다.

이 책의 등장인물은 대부분 곤충이지만, 주인공은 민달팽이[4]다. 그 이유는 무엇일까? 민달팽이가 인권을 둘러싼 다양한 쟁점을 살펴보기에 좋은 특징을 지니고 있기 때문이다.

첫째, 민달팽이는 집달팽이와 달리 자기 집이 없다. 따라

4 종속과목강문계의 분류상 곤충과 민달팽이는 모두 동물계에 속하지만, 곤충은 절지동물문, 민달팽이는 연체동물문이다.

서 주거 문제를 다룰 때 좋은 참조가 된다.

둘째, 민달팽이는 청정 지역에만 사는 환경 지표종이다. 따라서 환경오염이나 생태 문제를 다룰 때 좋은 소재가 될 수 있다.

셋째, 성별 구별이 없는 암수동체이다. 그리고 매우 느리며 징그럽고 못생겼다. 이 특징은 차별의 문제를 다룰 때 좋은 화두를 던진다.

주인공의 이름은 왜 마중이일까? 마중은 '오는 사람을 나가서 맞이함'을 의미한다. 그리고 펌프질을 할 때 물을 끌어올리기 위해 위에서 붓는 물을 마중물이라고 한다. 즉, 마중물은 지하에 있는 큰 물줄기의 물을 마중하는 물이다. 필자가 참여하고 있는 시민단체가 '시민교육과 사회정책을 위한 마중물'이다. 시민교육과 사회정책을 마중하는 조직이 되자는 의미이다. 사단법인 마중물은 마중물을 'water for change,' 즉 변화를 위한 물이라는 의미로 사용하고 있다. 이런 점에서 주인공 마중이는 동물들을 마중하여 변화를 만드는 존재이다.

마중이가 태어나서 자란 곳은 느~린마을이다. 마중이는 이곳에서 평화로운 일상을 보낸다. 안식처이자 놀이터가 되어 준 바오밥나무에서 친구들과 우정을 나눈다. 친구들이 이상마을로 떠나자, 마중이도 이상마을에서 성공하여 친구들과 행복하게 살고 싶다는 꿈을 꾼다. 그래서 미수 아줌마와 함께 이상마을로 떠나며 마중이의 여행이 시작된다. 미수 아줌마는 이상마을로 일하러 떠난 뒤 소식이 없는 아들을 찾기 위해 마중이와 동행한다.

그림 4의 ①은 마중이가 미수 아줌마와 함께 느~린마을에서 이상마을로 가는 경로로, 이때 보랏빛 나비인 보라 아저씨를 처음 만난다. 보라 아저씨는 '기회의 땅' 이상마을이 허상임을 경고하며 가지 말라고 만류하지만, 마중이와 미수 아줌마는 이상마을로 가겠다는 뜻을 굽히지 않는다. 보라 아저씨는 헤어지며 우정이 변했다고 느껴지면 친구를 탓하기 전에 환경을 먼저 살펴보라는 아리송한 말을 남긴다.

이상마을에 도착한 마중이는 친구와 일자리를 찾아, 미수 아줌마는 아들을 찾아 각자의 길을 걷는다. 미수 아줌마는 아들이 일하다가 사고로 죽었다는 사실을 알고 난 뒤, 아들과 같은 죽음이 되풀이되지 않도록 구조적인 문제에 맞서 싸우는 활동가가 된다. 마중이는 이상마을에서 고향 친구들을 만나지만, 평등했던 느~린마을과는 다르게 서로 다른 계급

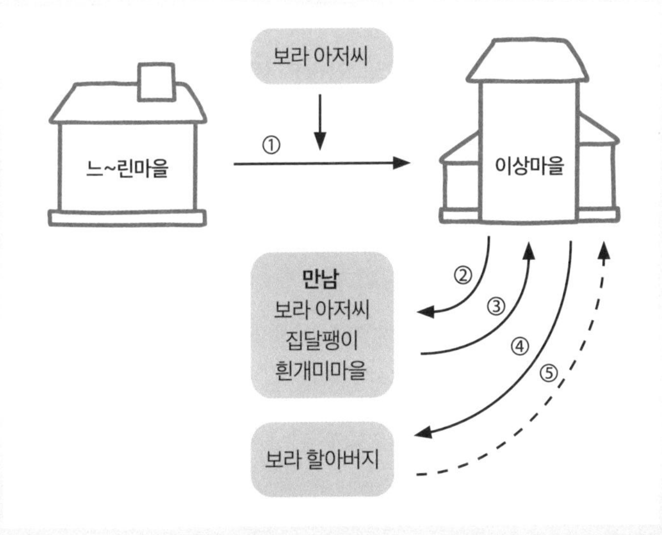

그림 4. 민달팽이 마중이의 여행 경로

에 속해 있음을 절감한다. 딱정벌레인 꽃뱅이는 마을 주민들은 물론 친구들에게까지 군림하는 지배자가 되었다. 나비인 미노는 배달 일을 하다가 사고로 사망하고, 매미인 목청이는 살기 위해 꽃뱅이의 앞잡이가 되어 친구를 배신한다. 마중이는 활동가가 된 미수 아줌마와 새로운 동료들과의 만남을 계기로 곤충들이 산재로 사망하는 불평등한 사회를 바꾸기로 결심한다. 이들이 만든 단체가 목요클럽이다.

목요클럽은 이상마을 주민들이 부당한 질서와 권력에 침묵하고 순응하는 것에 분노한다. 그래서 자유권, 즉 투표권을 얻기 위해 노력하여 이를 쟁취한다. 그러나 어렵게 얻은 투표권으로 치러진 선거에서 목요클럽의 기대와 달리 딱정벌레가 당선된다. 마중이는 주민들이 자신들을 대변하는 대표로 왜 개미가 아닌 딱정벌레를 선택했는지 의문을 갖는다. 그리고 그 답을 얻기 위해 이상마을을 떠난다.

그림 4의 ②는 이상마을을 떠나는 마중이의 경로이다. 정처 없이 걷던 마중이는 다시 만난 보라 아저씨와의 대화 중 새로운 인물 집달팽이를 만난다. 마중이는 집달팽이의 집을 부러워하지만, 집달팽이는 오히려 아무것도 짊어지지 않은 마중이를 부러워한다. 왜일까? 첫째, 집이 무겁기 때문이다. 집달팽이는 평생 집을 등에 짊어지고, 이를 키워 나가야 한다. 이것이 너무 버겁다. 둘째, 안식처가 되어야 할 집이 오히려 천적의 공격에서 도망가지 못하게 만드는 덫이 되기 때문이다.

집이 모든 문제의 해결 방법이 되지 못한다는 사실에 실망한 마중이는 다시 길을 떠난다. 그렇게 도착한 곳이 흰개미 마을이다. 마중이는 그곳에서 이상마을이 나아가야 할 방향을 찾는다. 흰개미들은 서로 협동하고, 규칙적인 쉼을 실천하며, 공동의 집을 만들어 생활한다. 마중이는 '개개인의 집이 아니라 공동의 집을 짓고 쉼이 있는 삶을 살 때 생각도 할 수 있으며, 이는 마을 주민들의 협력에서 시작된다'는 것을 깨닫는다.

그림 4의 ③은 마중이가 다시 이상마을로 돌아가는 경로를 보여 준다. 마중이는 목요클럽 회원들에게 자신이 보고 들은 것을 이야기한다. 회원들은 집과 쉼의 사회권이 보장되어야만 말할 수 있는 자유권을 실현할 수 있다는 것을 깨닫는다. 그래서 목요클럽은 사회권 보장을 요구하며 선거에 재도전한다.

이에 위기감을 느낀 꽃뱅이는 자신의 부와 권력을 보호하고자 선거에 직접 나선다. 그리고는 치밀한 선거 전략을 짠다. 첫째 생태계를 파괴하는 인간에게 함께 맞서야 한다는 것, 둘째 마중이가 외부자라 믿을 수 없다는 것, 셋째 마중이가 암수동체라는 것 등을 문제 삼았고, 이 전략은 성공한다.

결국 마중이는 그림 4의 ④에서 보듯이 미수 아줌마와 목요클럽 동료들, 그리고 선거에 부담을 주지 않으려고 이상마을을 떠난다. 이상마을을 떠나 느~린마을로 향하던 마중이는 할아버지가 된 보랏빛 나비를 다시 만난다. 그와 대화하면서 마중이는 부당한 질서를 극복하고 좋은 공동체를 만들려는 이상이 현실이 되려면, 동료들과 함께 끊임없이 상상하고 실천하는 것이 중요함을 깨닫는다. 그리고 그림 4의 ⑤처럼 다시 이상마을로 향한다.

이상에서 보듯이 이 책은 민달팽이가 권리를 얻기 위해 분투하는 과정을 담았다. 마중이와 그의 동료들은 목요클럽이라는 조직을 만들어 자유권에서 사회권으로, 그리고 차별받지 않을 권리로 점차 영역을 넓혀 권리를 실천해 나간다. 그리고 인간의 생태계 파괴로 쓰러지는 동물과 식물을 통해 그들도 생명권이 있음을 상기시킨다.

마을의 의미

이 책은 느~린마을과 이상마을에서 벌어지는 권리를 향한 투쟁기이다. 그리고 이상마을의 부당한 질서를 극복하는 방안을 제시하기 위해 참조한 마을이 흰개미마을이다. 세 마을의 위치는 그림 5와 같다.[5]

그림 5의 맨 왼쪽에 위치한 느~린마을의 중앙에는 바오

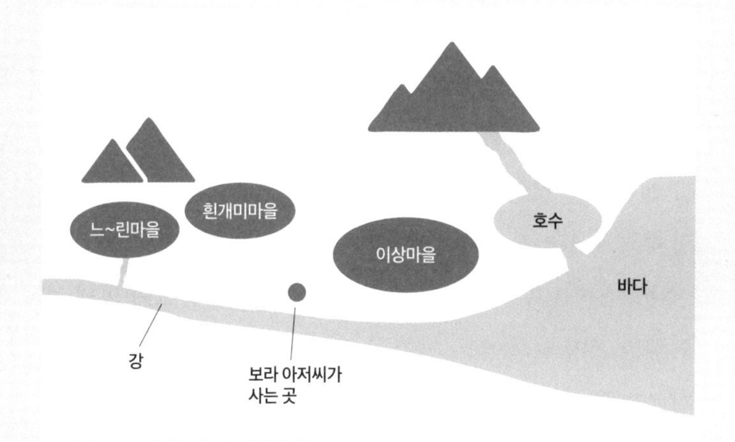

그림 5. 마을 전도

밥나무가 있다. 느~린마을에서 강을 따라 오른쪽으로 가면 호수와 바다로 이어진다. 호수와 바다로 가기 전에 만나는 마을이 이상마을이다. 이상마을은 파놉티콘에 해당하는 높

---

5 마을 전도는 앞서 출간된 두 권의 정치우화(『이매진 빌리지에서 생긴 일』과 『정의를 찾는 소녀』)와 향후 출간 예정인 세 권의 우화의 공간적 배경을 한눈에 보여 준다. 큰 산의 왼쪽에는 『이매진 빌리지에서 생긴 일』의 마을들이, 오른쪽에는 『정의를 찾는 소녀』에 나온 마을들이 있다. 그리고 호수와 바다가 만나는 지역에 사는 물고기를 중심으로 노동에 관한 우화가, 큰 산에 사는 새를 중심으로 민주주의에 관한 우화가, 마지막으로 호수에 모든 동물들이 모인 가운데 시민 축제를 다룬 우화가 전개될 예정이다.

은 탑을 중심으로 밝은 서쪽 동네와 어두운 동쪽 동네로 구분된다. 느~린마을에서 이상마을로 가려면 날아가거나 날개가 없는 동물들은 강을 따라 뗏목을 타고 가야 한다.

두 마을은 여러 가지 점에서 차이를 보인다. 느~린마을은 사회계약설을 주장하는 철학자 로크와 루소가 말하는 자연상태와 같다. 로크와 루소는 자연상태가 평화롭고 평등해 보이지만, 사실은 폭풍 전야처럼 모든 것이 불확실하고 불안정한 상태라고 본다. 왜냐하면 균형을 잡아 줄 권위나 권력이 없기 때문이다. 만약 자연상태에 이해관계가 생기고, 이것이 서로 충돌한다면 걷잡을 수 없는 소용돌이에 빠질 것이다. 로크는 지켜야 할 법도, 재판관도 없기 때문에 재산을 약탈하는 사태가 벌어질지도 모른다고 우려한다. 홉스는 이를 더 심각하게 생각하여 만인에 대한 만인의 전쟁상태가 될 것이라고 예언한다.

사회계약설의 자연상태와 같이 느~린마을은 먹을 것이 풍부하다. 그리고 이곳의 주민들은 평등한 관계이며 서로 간섭하지 않는다.

곤충은 여러 차례 탈피하는 변태 과정을 겪으며 성충으로 성장한다. 곤충의 85%는 딱정벌레나 나비처럼 애벌레와 성

표 2. 느~린마을과 이상마을의 비교

범주	느~린마을	이상마을
사회계약설에 따른 분류	자연상태	사회상태
상징	바오밥나무, 느림, 협동	악마의 맷돌, 파놉티콘, 창고
원리	우정과 나눔	경쟁과 갈등
관계	평등	불평등
주민	하나의 주민	격차가 있는 두 주민

충의 모습이 완전히 다르게 바뀌는 완전변태를 한다. 완전변태를 하는 곤충은 완전변태 전후로 전혀 다른 삶을 산다. 유충과 성충이 서로 다른 먹이와 서식지를 필요로 하기 때문이다. 유충일 때는 식신이라고 불릴 정도로 먹이를 많이 먹는다. 이는 성충이 될 때 필요한 에너지를 저장하기 위해서다.[6]

이 책은 느~린마을을 자연상태로 설정했다. 그리고 곤충이 유충일 때는 자연에서 제공하는 풍부한 먹이를 먹느라 싸울 일이 전혀 없다고 보았다. 서로 싸우지 않기 때문에 유충들은 하나인 것처럼 보이고, 깊은 우정을 나누는 것처럼

6 안네 스베르드루프-튀게손, 『세상에 나쁜 곤충은 없다』, pp.26-28 참조.

보인다고 가정했다. 하지만 사실 이곳은 규칙도, 법도, 국가도 없기 때문에 불안정하다. 평화스럽지만 잠재적인 긴장상태이다. 루소는 자연상태를 넘어 문명이 발전한 사회상태가 되면, 더 많은 재산을 갖거나 남보다 나은 자리를 차지하려고 노력하는 과정에서 갈등이 발생한다고 보았다. 느~린마을에는 먹이가 풍부하고, 그곳에 사는 애벌레나 굼벵이 단계의 곤충들은 먹이에만 관심이 있기 때문에 갈등이 일어나지 않는다. 하지만 느~린마을에는 잠재적인 갈등이 내재되어 있다. 마중이는 풍부한 먹이와 주거를 제공해 준 바오밥나무 덕분에 싸움이 일어나지 않았다는 사정을 미처 몰랐다. 그래서 갈등 상태인 이상마을에서 느~린마을을 이상향으로 착각하고 늘 그리워했다. 이에 대해 보라 아저씨는 말한다.

> "네가 어린 시절에 지냈던 그 마을을 이상적으로 기억하고 있을 뿐, 느~린마을도 이상마을과 다를 게 없는 보통 마을이란다. 나도 지난번에 느~린마을에 가서야 그걸 깨달았단다. 지금 네가 그곳에 가면 상처만 더 받을 거야."(p.176)

이 책에서는 이상마을을 루소의 사회상태, 즉 타락한 형태의 인간 사회로 상정했다. 루소는 저서 『인간 불평등 기원론』에서 사회상태와 이를 극복하기 위한 사회계약은 사적 소유와 깊은 연관이 있다고 보았다.

> 어떤 땅에 울타리를 두르고 "이 땅은 내 것이다"라고 말하리라 생각하고 다른 사람들이 그런 말을 믿을 만큼 단순하다는 사실을 발견한 최초의 인간이 문명 사회의 실질적인 창시자이다.
>
> —루소, 『인간 불평등 기원론』, p.104

이상마을은 모두가 함께 소유했던 땅을 소수가 내 땅이라고 울타리를 치고 난 이후 불평등이 일상화된 사회이다. 누군가는 죽도록 일만 해야 하고, 때로 그 과정에서 죽기도 한다. 반면 누군가는 일하지 않으면서도 모든 것을 소유하고 누린다. 우화에서 이상마을을 표현한 '악마의 맷돌'은 정치경제학자인 칼 폴라니가 『거대한 전환』에서 제시한 개념으로, 맷돌에 곡식을 넣고 갈 듯이 자본주의는 인간을 넣고 갈아서 굴러가는 시스템이라는 비판이 담겨 있다. 그리고 자본주의는 인간이 맷돌에 저항하지 못하도록 일상적으로 감시한다. 이 감시 체제가 파놉티콘이다.

파놉티콘은 벤담이 저서 『파놉티콘』에서 제시한 것으로, 죄수를 효과적으로 감시하기 위해 고안한 원형 감옥이다. 감옥의 중앙에 있는 높은 감시탑의 안쪽은 늘 어두워 밖에서는 안을 볼 수 없다. 하지만 감시탑 안에서는 모든 곳이 보이도록 만들어졌다. 파놉티콘은 감시자의 시선이 어디를 향하는지 죄수들이 알 수 없도록 되어 있다. 그래서 죄수들은 자신의 일거수일투족을 늘 감시당하고 있다고 생각해 스스로를 감시하게 된다. 이것이 파놉티콘 체제이다. 이와 관련하여 우화에 다음과 같은 장면이 나온다.

> 밖에서 아무리 들여다보아도 탑 안은 캄캄하기만 할 뿐, 아무것도 보이지 않았다. 검은 커튼이라도 친 것일까?(p.62)
> 어느새 마중이도 사고가 났다는 소식을 들으면 가장 먼저 탑을 쳐다보게 되었다.(p.83)

이상마을의 중앙에도 파놉티콘과 같은 높은 탑이 있다. 꽃뱅이는 이 탑에서 언제든 곤충들을 볼 수 있다. 그래서 곤충

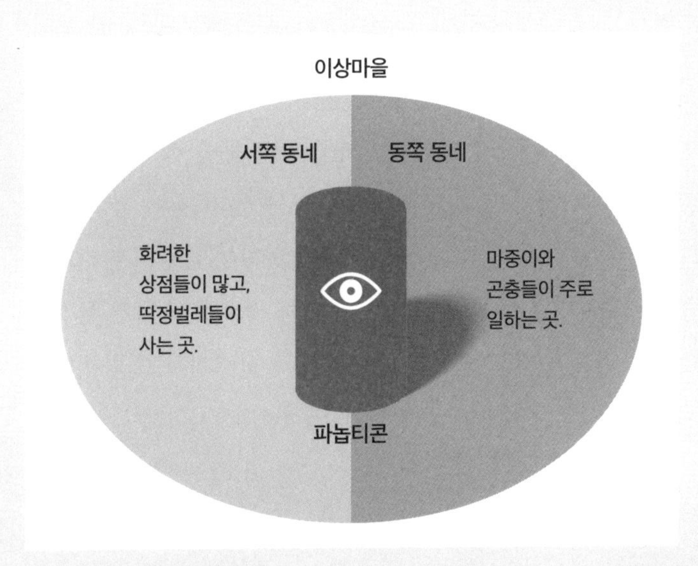

그림 6. 이상마을과 파놉티콘

들은 사고가 나면 꽃뱅이가 보고 있는 것은 아닌지 걱정하며 자신도 모르게 탑을 쳐다본다. 이상마을의 실상에 눈을 뜬 마중이는 말한다.

"이상마을은 맷돌과 같다고 하셨던 아저씨 말씀도 옳았어요. 그 맷돌은 마치 눈에 보이지 않는 악마가 돌리고 있는 것 같았어요. 개미, 나비, 매미들이 그 맷돌에서 벗어날 방법은

없을까요?”(p.134)

이들이 벗어나야 할 이상마을의 불평등을 상징하는 것이 창고이다. 창고는 축적을 의미한다. 누군가는 이 창고의 일자리를 얻기 위해 경쟁하고, 때로는 일하는 과정에서 다치거나 죽는다. 그러나 또 다른 누군가는 창고에 축적된 물건을 통해 부를 누리고 주민들을 지배한다. 표 3에서 보듯이 이상마을에서는 불평등이 분명하게 드러난다.

표 3. 이상마을의 불평등

공간	서쪽 동네(파놉티콘 정문 쪽)	동쪽 동네(파놉티콘 후문 쪽)
특성	부자 동네	가난한 동네
주민	지배층	피지배층
이미지	밝음	어두움

느~린마을과 이상마을에 이어 등장하는 세 번째 마을은 흰개미마을이다. 이 마을은 가상의 자연상태인 느~린마을도 아니고, 불평등이 존재하는 실제 세상인 이상마을도 아니다. 이 마을은 북유럽의 복지국가를 연상하면서 서술하

였다. 복지국가는 노동자와 시민들이 연대하여 시민기준선(national minimum standard of living)을 권리로 보장받는 상태이다. 누구에게나 쉼과 주거, 교육, 의료, 돌봄 등이 인간답게 살 수 있는 수준으로 보장된다. 이상마을이 초기 자본주의나 신자유주의 상황에서 등장한 최소 국가라면, 흰개미마을은 사회권이 보장된 복지국가라고 할 수 있다.

등장 동물 해설

이 책의 '한눈에 보는 등장 동물'에서 간략히 소개한 등장 동물에 대해 좀 더 자세히 알아보고, 이들이 우화 속에서 지니는 함의를 살펴보자.

마중이

민달팽이로 이 책의 주인공이다. 민달팽이는 몸에서 분비된 끈끈한 액체를 남기며 느릿느릿 기어다닌다. 개구리와 두꺼비는 민달팽이의 천적이다. 특히 곤봉딱정벌레는 달팽이들에게 저승사자와 같은 존재이다. 민달팽이는 환경오염에 민감하기 때문에 청정 지역에만 살 수 있다.

이 책에서 마중이는 마을에서 마중물의 역할을 한다. 예를 들어 마중이가 지나가며 남긴 끈적이는 액체 덕분에 주민들은 길을 찾을 수 있다. 호기심과 질문이 많아 늘 해답을 찾아 다니는 마중이 덕분에 이상마을의 주민들은 사회권에 대해 알게 된다. 마중이는 우화가 전개되면서 생각의 변화를 겪는다.

표 4. 마중이의 생각 변화

범주	초기 마중이	후기 마중이
가치	능력주의	연대와 협동
개인의 권리	자유권 중심으로 이해, 사회권에 무지	사회권의 중요성 인식
문제의 원인	개인	공동체, 부당한 질서

표 4와 같이 우화를 초기와 후기로 나누어 마중이의 생각 변화를 구분해 볼 수 있다. 초기 마중이는 문제의 원인이 개인에게 있고, 개인의 노력으로 이를 해결할 수 있다고 믿는다. 마중이가 이상마을에서 목요클럽 회원들을 만나기 이전까지가 초기에 해당된다. 그는 목요클럽을 알게 된 후에야 능력주의의 허상을 깨닫는다.

> 마중이는 목청이나 미노와 달리 꽃뱅이가 성공할 수 있었던 근본적인 비결이 … 아무리 생각해도 돈이 많은 부모가 있다는 것 외에는 다른 이유를 찾을 수 없었다.(p.94)

능력주의(meritocracy)의 어원은 마이클 영의 저서 『능력주의』이다. 1958년에 출간된 이 책의 부제는 '2034년 평등하고 공정하고 정의로운 엘리트 계급의 세습 이야기'이다. 지능과 노력이 곧 능력이 되는 능력 중심의 사회가 공정하고 정의롭다고 믿었으나, 사실 능력 중심의 사회는 엘리트 계급의 세습을 정당화하는 사회였다. 마이클 샌델은 저서 『공정하다는 착각』에서 능력주의가 공정하다는 것은 착각이라고 비판한다. 왜냐하면 능력도 사실은 타고난 운, 특히 부모의 재력에 기반하기 때문이다.

초기 마중이는 능력주의를 신봉했고, 자신이 노력하면 성공할 수 있다고 믿었다. 하지만 그는 점점 지쳐 갔다. 부당한 질서와 친구들의 죽음 앞에서 마중이의 생각은 변화한다.

> "미노의 죽음도, 미수 아줌마 아들의 죽음도 결코 남의 문제가 아니라는 사실을 이제야 깨달았어요. 모든 것이

연결되어 있고, 제가 아무리 피하고 싶어도 피할 수 없는 문제라는 것을 말입니다. 이제 더 이상 뒤에 숨어 제 살길만 찾지 않고 부당함에 대해 함께 분노하고 저항하겠습니다."(p.108)

꽃뱅이

딱정벌레인 꽃뱅이는 사총사 중의 하나지만, 성충이 된 후에는 자본가이자 정치가로서의 역할에 충실하다.

딱정벌레는 종류가 다양하다. 반딧불이, 쇠똥구리 등이 모두 딱정벌레목에 속한다. 이들의 천적은 뱀, 개구리 등이지만, 역으로 개구리를 사냥하는 딱정벌레도 존재한다. 개구리의 등에 올라타서 힘줄을 끊고 살을 파고들어 먹기도 한다. 딱정벌레의 애벌레 중에는 개구리의 혀 밑을 파고들어가 개구리를 죽이는 애벌레도 있다.

이 책은 '지구 생태계의 왕'으로 불리우는 딱정벌레의 특징에 주목해서 그를 지배자로 설정했다. 우화 속 꽃뱅이는 자신감이 넘치고 가족의 능력을 기반으로 이상마을 주민은 물론 친구들 위에 군림한다.

목청이

사총사 중 하나로 매미이다. 이상마을에 와서 노동자가 되었지만, 실제로는 지배자인 꽃뱅이의 앞잡이 노릇을 하고 있다. 왜 목청이는 친구인 마중이와 미노를 배신했을까? 프레이리의 말에서 그 단서를 찾을 수 있다.

> 나는 피억압자들에게서 '교활함'과 '간사함'이 배어 있는 행동을 확인할 수 있었다. 그런 행동들은 그들이 살아 남기 위해 필요한 것이었다.
>
> —『희망의 교육학』, p.83

실제 매미는 약 7년의 긴 시간을 땅속에서 굼벵이로 지내다가 성충이 되면 여름 한철을 나무에서 울고 생을 마감한다. 우화에서는 잘 우는 매미의 특징을 살려 목청이로 명명하고, 우는 행위를 노동자들을 관리하기 위해 구령을 붙이는 노동으로 설정했다. 목청이는 생존을 위해 강자인 꽃뱅이를 도우면서도 이를 후회하고 자책하는 이중적인 모습을 보인다.

미노

나비로 사총사 중 하나이다. 이상마을에서 배달 노동자로 일하다가 산재로 사망한다.

나비는 우아한 몸짓으로 이 꽃 저 꽃을 다니면서 꽃가루를 실어 나른다. 이 모습에 착안하여 미노를 배달 노동자로 설정했다. 미노라는 이름은 현장 실습 중에 사망한 특성화고등학교 학생 고 이민호 군에게서 왔다. 2017년 당시 17세였던 이민호 군은 제주의 한 음료 공장에서 현장 실습생으로 일하던 중 기계 오작동 사고로 사망했다.

미수 아줌마

개미인 미수 아줌마는 일하러 떠난 뒤 소식이 없는 아들을 찾기 위해 마중이와 이상마을에 오고, 목요클럽 활동도 함께하는 존재이다.

미수라는 이름은 비정규직 청년 노동자 고 김용균 씨의 어머니 김미숙 씨에게서 왔다. 김용균 씨는 2018년 24살의 나이에 화력발전소에서 혼자 일하던 중 컨베이어 벨트에 끼여 숨졌다. 김용균 씨의 산재 사망은 위험의 외주화, 하청기업의 안전관리 문제에 대한 사회적 관심을 불러일으켰다. 아들의 죽음 앞에서 어머니는 절망에 빠져 있지만은 않았다.

> "용균이가 남겨준 숙제가 삶의 목적이 됐어요. 내가 살아야 한다면 이걸 안고 가야 하지 않을까. 용균이가 죽음으로 갈 수밖에 없었던 이유를 찾아서 해결해야 하지 않나 싶었어요."
> —경향신문, 2019. 10. 27.

이후 김미숙 씨는 뜻을 같이하는 사람들과 함께 사단법인 '김용균재단'을 만들고, 안전한 세상을 위한 사회운동을 벌이고 있다. 중대재해기업처벌법 제정, 비정규직 철폐, 위험의 외주화 금지, 노동권 확보 등 그녀는 제2의 김용균이 나오지 않는 세상을 위해 오늘도 싸우고 있다.

> "어제 죽은 미노는 내 아들이나 다름없어. 이대로 두면 내일은 또 다른 아들과 딸이 죽을 지도 몰라. 죽은 내 아들을 위해 내가 할 수 있는 일은 더 이상의 죽음이 생기지 않도록 막는 거야."(p.104)

우화에서도 평범했던 미수 아줌마는 아들과 노동자들의 죽음 앞에서 투사가 된다.

표 5. 미수 아줌마의 생각 변화

범주	초기 미수 아줌마	후기 미수 아줌마
관점	모성애	연대
관심	자식에 대한 걱정	사회의 변화
문제의 원인	개인	공동체

표 5는 미수 아줌마의 생각 변화를 보여 준다. 초기의 미수 아줌마는 자식을 걱정하는 모성애를 가진 보통의 어머니였다. 하지만 산재로 인한 자식의 죽음 앞에서 사회운동가로 변신한다. 이는 막심 고리키의 소설 『어머니』와 전태일의 어머니 이소선 여사를 연상시킨다. 이들은 자식이 부당한 질서 속에 있을 때는 참고 잘 견디길 기도했다. 하지만 자식이 부당한 질서의 희생양이 되었을 때는 슬퍼하는 것에 그치지 않고 사회운동에 나서며 모든 노동자의 어머니가 되었다.

보라 아저씨

사회적 약자, 인권 등을 상징하는 보랏빛을 띤 나비이다. 보라 아저씨는 사총사와 마찬가지로 느~린마을에서 태어나 이상마을에 일을 하러 갔지만 부당한 질서 속에서 좌절한다. 이 과정에서 몸도 마음도 피폐해졌다. 그러나 그는 문제의 원인을 개인에서 찾지 않고 부당한 질서에서 찾는다. 이런 경험과 생각을 바탕으로 그는 후배들이 이상마을로 오지 않도록 막는 역할을 자청하고, 마중이가 위기에 처할 때마다 사회 구조를 보고 친구의 우정을 믿으라는 조언을 해 준다.

이 책에서 보라 아저씨는 프레이리의 주장을 대변하는 존재로 설정했다. 프레이리는 대화를 통한 시민 문해 교육을 강조한다. 즉 세상읽기를 통해 부당한 질서를 이해하고, 이를 극복하기 위해 토론하는 동료들과 문화 서클을 만들 것을 주장한다.

일만이와 반디

개미 일만이는 처음에는 일만 열심히 하는 노동자였다. 그러나 점차 부당한 질서를 깨닫고 이에 저항하고자 한다. 노동자들의 리더로서 노동조합을 만들고, 이후 노동자와 목요 클럽을 대표하는 후보로 선거에 참여한다.

반디는 반딧불이로 딱정벌레에 속한 중산층 노동자이다. 처음에는 지배 세력에 편입되기를 희망했지만, 나름 소신을 갖고 저항 세력으로 넘어온다. 하지만 내재화된 보수적 이념으로 인해 계속 갈등하는 존재이다.

흰개미, 집달팽이, 쇠똥구리

흰개미는 개미가 아니다. 종속과목강문계의 분류 체계에서 개미가 벌목(目)에 속한다면 흰개미는 바퀴목에 속한다. 즉 바퀴벌레에 더 가까운 곤충이며 흰색, 황갈색 등을 띤다. 개미와 흰개미는 사회성 곤충이다. 흰개미는 개미처럼 계급을 나누어서 각각 다른 역할을 수행하기도 하고, 협동하기도 한다.

최고의 건축가로 불릴 정도로 집을 잘 짓는 흰개미는 공동의 집을 짓고 함께 생활한다.

> 흰개미집은 규모도 매우 크고(흰개미 한 마리의 2,000배에 달하는 크기), 열교환이 정밀하게 이루어지도록 설계되어 있다. 많은 엔지니어들이 이러한 흰개미의 건축 기술과 그 독창성으로부터 설계 및 건축에 대한 통찰력을 얻었다.
> —허드, 『벌레가 지키는 세계』, pp.52-53

이 책은 흰개미가 일하는 중간에 쉬는 현상이 발견된 점에 주목하여 흰개미를 집과 쉼의 대표적인 상징으로 삼았다.

집달팽이는 각자의 집을 가지려고 노력하고, 서로 집을 비교하며 경쟁하는 존재로 묘사했다. 공공 주택을 통해 주거 문제를 해결하는 흰개미와 대비되는 존재이다.

쇠똥구리는 쇠똥이나 말똥 따위를 굴려 굴속에 저장하고, 그 속에 알을 낳아 성충과 애벌레의 먹이로 쓴다. 비록 똥을 먹고 똥 속에 알을 낳지만, 쇠똥구리는 신성한 존재로 인식되어 왔다.

> 야행성인 아프리카 쇠똥구리는 하늘의 은하수를 보고 길을 찾는 유일한 무척추동물로 알려져 있다. 고대 이집트에서는 이 쇠똥구리를 태양신이 환생한 것으로 생각하고 숭배했다고 하는데, 현대인인 우리는 어쩌면 별을 이용해 길을 찾는 쇠똥구리의 능력을 숭배할 수도 있을 것이다.
> —『벌레가 지키는 세계』, p.55

이런 맥락에서 우화에서도 쇠똥구리를 선한 존재로 묘사했지만, 실제로 쇠똥구리는 생존을 위해 교활한 전략을 사용한다. 파브르의 저서 『파브르 곤충기 1』에 등장하는 쇠똥구리는 야비한 날강도이다. 쇠똥구리는 다른 쇠똥구리가 쇠똥 경단을 굴리면 돕는다. 그런데 이것은 협동이나 연대가 아니라 쇠똥 경단을 약탈하기 위해서다.

> 전혀 도움을 청하지 않았는데, 겉으로만 친절히 도와주는 척하며 야비한 계략을 품은 녀석이다. 그런데 더 대담하고, 힘에 자신이 있는 놈들은 갑자기 폭력을 휘둘러 강탈해 간다. … 약탈이 하나의 습성으로 굳어 버렸고, 그래서 똥덩이의 약탈을 위해 폭력을 제멋대로 휘두르는 원인이 무엇인지, 내가 그것을 알아내기에는 자료가 너무나도 부족하다.
> —파브르, 『파브르 곤충기 1』, pp.29-31

파브르는 쇠똥 경단을 약탈하는 쇠똥구리를 보면서 쇠똥구리의 습성이 '재산은 장물'이라고 말한 철학자 프루동의 주장을 입증한다고 하였다. 그런데 이런 쇠똥구리는 현재 멸종위기종이다. 인간이 동물에게 사용한 항생제나 동물 사료에 섞은 첨가제, 농약 등이 쇠똥에 남아 이들을 멸종하게 만들었다.

인간

이 책에서 인간은 암시적으로만 등장한다. 인간은 개구리보다 더 무서운 공포의 대상이다.

인간은 지금까지 제멋대로 생물을 분류해 왔고, 생물 분류 체계 역시 인간의 지식과 편의에 따라 만든 것이다. 룰루 밀러는 저서 『물고기는 존재하지 않는다』에서 인간의 이런 분류가 자의적이기 때문에, 인간이 분류한 생물 범주 속의 물고기는 존재하지 않는다고 말한다. "잡초는 아직 그 가치를 발견하지 못한 식물"이라는 철학자 랠프 왈도 에머슨의 말에서 드러나듯 인간은 식물도 제멋대로 분류하고 있다. 모든 식물은 생명체로 존중받아야 함에도 불구하고, 인간은 편의에 따라 특정 식물을 잡초로 규정하고 죽인다. 이처럼 인간은 자신의 편의대로 생물 다양성을 해쳐 왔고, 결국 이것은 독이 되어 다시 인간에게로 향하고 있다.

계급 구조

주요 등장 동물들을 계급 구조 차원에서 살펴보자.

이상마을에서 최상위 포식자는 개구리이다. 마을 주민들

이 나중에 그 위에 인간이 있다는 것을 알게 되기 전까지는 말이다. 개구리 아래는 딱정벌레인 꽃뱅이다. 때로 꽃뱅이가 개구리를 사냥하기도 하지만, 둘은 공동의 이익 앞에서 연대하기도 한다. 자본가 집안에서 태어난 꽃뱅이는 자신의 부와 권력을 극대화하기 위해 정치가로 변신한다.

그림 7에서 보듯이 개구리와 꽃뱅이가 억압자로서 지배층 A계급이라면, 반디를 포함한 반딧불이와 목청이는 이상 마을의 중간층인 B계급에 속한다. B는 A만큼 많이 가지지는 않았지만, 잃을 것조차 없는 C와는 다른 계급이다. 반딧불이는 딱정벌레에 속하기 때문에 꽃뱅이에 더 가깝다. 하지만 꽃뱅이만큼 가진 게 많지는 않다. 목청이와 같은 매미들은 타고난 목청을 개미들의 노동을 독려하는 데 쓴다. 목청이는 꽃뱅이의 앞잡이 노릇을 하며 C계급에 우호적이지 않은 태도를 보인다. 반대로 B계급의 반딧불이 중에는 반디처럼 C계급에 우호적인 경우도 있다. 프레이리는 『페다고지』에서 목청이와 같은 사람을 아류 억압자, 반디와 같은 사람을 전향자라고 표현한다.

C계급은 피억압자이다. 마중이를 포함해서 미노, 미수 아줌마, 일만이 등 일하는 동물들 대부분이 여기에 속한다. 빵

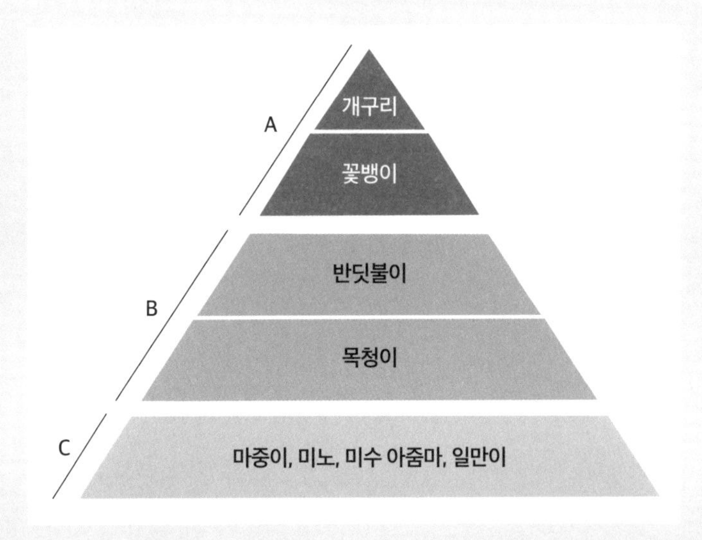

그림 7. 계급 구조

의 문제에 늘 시달리기 때문에 불의를 직시하지 못하고, 안다고 하더라도 침묵을 선택한다. 자유를 갖는 것에 오히려 두려움을 느낀다. 잘못 말했다가 해고 등의 불이익을 당하기 때문이다. C계급이 부당한 질서를 비판하며 자신들의 권리를 알고 조직화될 때, 세상을 변화시키는 주체가 될 수 있다.

이상에서 보듯이 느~린마을에서 우정을 나누었던 사총사는 이상마을에서 억압자, 아류 억압자 그리고 피억압자로 계급이 나뉜다. 이것은 모든 것을 이윤의 눈으로 보고, 집안의 부에 따라 개인의 능력과 경쟁력이 달라지는 부당한 질서로 인해 초래된 현실이다.

3. 좀 더 깊이 읽기

1부 꿈

느~린마을과 이곳의 주민들, 특히 주인공인 마중이를 중심으로 한 사총사를 소개한다. 느~린마을은 마중이와 곤충들이 태어나고 자란 고향 마을이다. 이 마을에는 바오밥나무, 친구들, 평화로운 일상이 있다. 1부는 느~린마을의 삶과 마중이와 친구들이 이상마을로 떠나며 품은 꿈에 대해 이야기한다.

고향

왜 마을 이름을 느~린마을이라고 했을까? 경쟁에서 이기기 위해서는 '빨리빨리' 성과를 내야 하고, 쉬지 않고 일해야 한다. 이에 대비해 '느린'은 저녁이 있는 삶, 연대와 우정을 나누는 대화의 광장을 상징한다. 이 책에서는 '느린'을 넘어 '느~린' 존재들에 주목하고, 게으름도 권리임을 강조한다. 이때 게으름이란 상품 생산에 동원되는 것으로부터 게을러야 한다는 것으로, 인간다운 삶을 살아갈 여유, 쉼을 확보하는 것을 의미한다.

느~린마을은 곤충들이 태어나 성충이 될 때까지 자라는 곳으로, 마을 한가운데에는 마을의 상징인 커다란 바오밥나무가 있다.

바오밥나무가 등장한 대표적인 문학 작품은 생텍쥐페리의 『어린 왕자』이다. 이 작품에서 바오밥나무는 폭발적인 성장 속도를 보이며 어린 왕자의 소행성을 파괴하는 부정적인 존재로 묘사된다.

그러나 아프리카가 원산지인 바오밥나무는 사실 천천히 자라며 '생명의 나무'라 불리는 유용한 존재이다. 수령이 5,000년에 달하는 바오밥나무는 우기에 땅속 깊숙이 내린 뿌리에서 물을 빨아들여 몸통에 저장했다가 건기가 되면 사람이나 동물에게 물을 내준다. 나무의 열매는 항산화 물질, 비타민C 등 다양한 영양소를 함유하고 있다. 지름이 10m에 이르는 바오밥나무는 많은 동물들의 서식지이다.

이상의 특징에 기반하여 이 책에서는 바오밥나무를 모든 동물들의 집으로 묘사했다.

> 느~린마을 한가운데에는 큰 바오밥나무가 서 있었다.
> 바오밥나무가 언제부터 이곳에 있었는지, 몇 살인지
> 곤충들은 알지 못했다.(p.10)
> 바오밥나무는 모두가 편하게 쉴 수 있는 안식처이자
> 재미난 놀이터였다.(p.15)

이처럼 바오밥나무는 집, 쉼, 안녕, 안전, 대화, 자연을 나타내는 느~린마을의 상징이다. 동물들은 이곳에서 햇빛과 천적을 피하고 토론도 하며 안전한 삶을 살아간다.

공동의 집인 바오밥나무가 있는 느~린마을에서는 주민들이 평등한 관계를 맺고 서로 도우며 살고 있다.

> 이 마을에 사는 나비의 애벌레, 딱정벌레와 매미의 굼벵이,
> 그리고 개미는 서로가 서로를 돌봐 주었다. 개미는 애벌레와
> 굼벵이를 보살펴 주고, 기생벌로부터 애벌레와 번데기를
> 지켜 주었다. 대신 애벌레들은 자신의 몸에서 나오는 단물을
> 개미에게 먹이로 내주었다.(p.10)

묘사된 개미와 애벌레의 관계는 실제 생태계에서의 모습을 반영한 것이다. 이 책에서는 이런 공생 관계가 겉으로 보

면 협동하고 연대하는 것처럼 보일지 모르나, 실제로는 생존 본능에 따라 이루어진 관계에 불과하다고 본다.

마중

느~린마을에 마중이가 태어났다. 왜 이름이 마중이일까? 모든 생각과 꿈, 그리고 다양한 생명체들을 마중하는 존재이기 때문이다.

> 마중이는 어디를 가든 독특한 냄새가 나는 끈끈한 액체를 남기며 기어갔다. 이 액체 덕분에 주민들은 멀리서도 길을 잃지 않고 마을로 돌아올 수 있었다.(p.19)

실제로도 달팽이와 민달팽이가 지나간 자리에는 투명한 점액이 남는다. 이것은 아교처럼 끈끈해서 사람들이 싫어하기도 하는데, 달팽이 등의 복족류에게는 생명 유지에 필수적인 중요한 것이다.

> 점액은 복족류가 이동하고, 몸을 방어하고, 치료하고, 구애하고, 짝짓고, 알을 보호하는 모든 생활에서 중요한 매개 구실을 한다. … 달팽이가 유리용기 벽면을 타고 올라갈 때

녀석의 발바닥 아래로 이동하는 미세한 잔물결의 띠들을 볼 수 있었다. 이 잔물결의 띠들은 순간적으로 점액을 고체 상태에서 액체 상태로 바꿔서 이동할 때 마찰을 막고 1분에 몇 센티미터씩 앞으로 나아가게 하는 구실을 했다.
—베일리, 『달팽이 안단테』, pp.88-89

마중이는 호기심이 많아 늘 질문을 제기하고, 해답을 찾으려고 노력한다.

'왜 이런 문제가 생겼지? 근본적인 원인이 무엇일까?'
"그래, 그거야!"(p.19)

마중이는 친구와 이웃을 마중하기도 하지만, 이처럼 자기 자신의 호기심과 질문을 마중하기도 한다. 이런 과정을 통해 마중이의 생각은 변화한다.

다른 꿈

느~린마을에는 우정을 나누는 사총사가 있다. 이들은 성충이 되어 느~린마을을 떠나면서 서로 다른 자신의 꿈에 대해 이야기한다.

> "제 할아버지, 아버지 모두 그곳에서 노력하여 기반을 탄탄히 잡고, 성공한 삶을 살고 계신다고 합니다. 저도 그곳에서 반드시 성공할 것입니다."(p.24)

항상 자신만만한 꽃뱅이의 목표는 성공이다. 그 밑천은 든든한 집안 배경, 즉 재산이다. 그는 장차 자본가가 될 것이다.

> "제 꿈은 발레리노가 되는 거예요. 저는 가진 것도 없고, 그곳에 아는 이도 없지만, 주어진 일에 최선을 다해서 꼭 꿈을 이루겠습니다."(p.25)

반면 집안 배경도, 재산도 없는 미노는 꿈을 실현할 수 있다는 자신감마저 높지 않다. 하지만 열심히 노력하여 빵의 문제를 우선 해결하고, 그 다음에 꿈을 이루고자 한다.

이상에서 보듯이 꽃뱅이와 미노를 자본가와 노동자 집안 출신의 전형적인 인물로 묘사했다. 미노는 이상마을에 가자마자 생계를 위해 배달 일을 한 반면, 꽃뱅이는 경영 수업을 받았을 것이다.

주인공 마중이는 미노와 같은 입장이다. 하지만 능력주의를 신봉하는 마중이는 열심히 노력하면 성공할 수 있다고 믿었다.

미수 아줌마도 주목해야 할 주요한 인물이다. 그녀는 자식에 대한 사랑 때문에 이상마을에 갔지만, 더 나은 공동체를 만들기 위해 변화를 이끄는 존재로 변모한다.

대화

마중이와 미수 아줌마도 이상마을로 떠나기로 결심한다. 이 책은 느~린마을에 대비되는 마을로 이상마을을 설정했다. 그런 의미에서 이상마을의 이름으로 '빠른마을'이 더 적절할지도 모른다. 그러나 우화 속 동물들이 경쟁, 착취, 불평등의 사회를 당연한 것으로 받아들이고 능력을 키워 출세하는 것을 이상적으로 여긴다는 점에서 이상마을이라고 명명했다. 이런 점에서 이상마을의 이름은 역설적이다. 누구도 안전하지 않은 신자유주의 마을에서 저항하지 않고 순응하며 성공하려는 것은 이상일까, 이상한 것일까? 이처럼 상반되는 두 마을 간의 이동 수단으로 마중이와 미수 아줌마가 선택한 것은 뗏목이다.

> 주민들은 힘을 합쳐 마중이와 미수 아줌마가 이상마을까지 타고 갈 뗏목을 만들기로 했다. 강한 물살에도 끄떡없을, 크고 튼튼한 뗏목을 만들었다. 그리고 혹시 모를 천적의 공격에 대비하기 위해 몸을 숨길 비밀 공간도 마련하였다.(p.34)

이처럼 뗏목은 마을 주민들이 협심하여 만들었다. 만약 뗏목을 튼튼하게 만들지 않았다면, 마중이와 미수 아줌마는 강한 물살에 휩쓸렸거나 천적인 개구리를 만났을 때 죽었을 지도 모른다. 이 대목을 쓰면서 세월호를 생각했다. 느~린마을 주민들처럼 우리 사회가 재난에 철저하게 대비했다면 세월호의 아이들은 안전했을 것이다.

마중이와 미수 아줌마가 이상마을로 가는 길에 만난 보랏빛 나비에 주목할 필요가 있다. 이 책에서 나비를 보랏빛으로 설정한 이유는 보라색이 인권을 상징하는 색이기 때문이다. 그는 인권의 의미를 알려 주는 마중물과 같은 존재이다. 보라 아저씨는 마중이에게 조언과 위로를 아끼지 않는다. 사실 그는 오래 전에 마중이처럼 이상을 꿈꾸며 이상마을에 갔으나 친구와 조직이 없어 실패한 전력이 있다. 그래서 그는 자신과 같은 좌절을 겪지 않도록 이상마을의 실상을 알리고, 동물들이 이상마을에 가는 것을 막으려고 한다.

> "이상마을은 제 상상과 달리 거대한 맷돌 같은 곳이었어요. 곤충들은 그곳에서 고된 생활로 삶이 망가지고 있지만, 아무 말 못 하고 순응하며 살고 있죠."(p.41)

보라 아저씨는 이상마을을 악마의 맷돌[7]에 비유한다. 덕분에 우리는 이상마을이 어떤 곳인지 힌트를 얻을 수 있다.

2부 목소리

「세계인권선언문」에 따르면 인권은 자유권과 사회권으로 나뉜다. 2부에서는 자유권, 즉 자기 목소리를 낼 권리를 다룬다. 우리는 자유권이 권리임을 인식하지 못하거나, 권력에 대한 공포, 혹은 목소리를 내다가 빵을 잃을지도 모른다는 두려움 등 다양한 이유로 침묵한다. 2부는 이상마을에서 동물들이 자기 목소리를 찾는 과정과 그 한계를 보여 준다.

---

7 악마의 맷돌 개념에 대해서는 이 책의 231쪽 참조.

삶

마중이와 미수 아줌마가 도착한 이상마을은 동서로 구분된다. 동쪽은 가난한 동네이고 서쪽은 부유한 동네로, 빈부격차가 심각하다. 동쪽 동네에 거주하는 빈곤층은 하루하루 먹고사는 것을 걱정해야 한다. 왜냐하면 이상마을의 모든 것이 사적 소유 상태이기 때문이다.

> 이상마을에서는 하루하루 먹고사는 문제를 걱정해야 하기 때문에 일을 해야 한다고 한다. 모든 풀, 과일, 그리고 나무에는 주인이 있기 때문에 돈이 있어야만 사 먹을 수 있다고 한다. 참 이상한 곳이다.(p.57)

이상마을에서는 계급이 존재하기 때문에 우정이 생겨날 수 없다. 서로 다른 계급 간에는 친구 관계가 성립하기 힘들다.

> "참, 꽃뱅이와 미노는 어떻게 지내? 여기서도 자주 만나?"
> "아니, 자주 만나지는 못해. 미노도 나처럼 돈을 벌기 위해 배달 일을 하는데 일이 너무 많아서 만날 시간이 없어. 툭하면 한밤이나 새벽까지 일을 해야 하거든."(p.57)

친구를 자주 만나지 못하는 이유는 무엇일까? 너무 많은 일과 긴 노동시간, 파놉티콘 체제에서의 일상적인 감시, 계급 간의 신분 격차 등 불평등한 구조와 부당한 질서 때문이다.

이상마을은 악마의 맷돌처럼 생산에만 몰두하기 때문에 자연을 착취하고 파괴한다. 이것은 동물들에게 되돌아와 악영향을 미친다.

> 이상마을에 오고 나서 시작된 기침도 갈수록 잦아졌다.(p.87)

환경오염에 민감하여 청정 지역에서만 살 수 있는 민달팽이인 마중이는 이상마을에 오자마자 기침을 한다. 그런 마중이가 이상마을의 많은 난관을 극복하고 노력만으로 꿈을 이루는 것이 과연 가능할까?

> '이상마을에서 꿈을 꾸는 것은 자유야. 하지만 꿈은 꿈일 뿐, 꿈을 실현하는 것은 거의 불가능해. 이 마을에서 꿈을 이룰 수 있는 동물은 아주 소수야.'(p.60)

친구 목청이가 마중이에게 한 말이다. 꿈을 이룰 수는 있다. 하지만 이는 가진 자에게만 허락된 일이다. 이상마을에서 가진 것이 없는 자에게 주어진 꿈꿀 자유는 희망고문에 불과하다.

거드름

마중이를 만난 꽃뱅이는 거드름을 피우며 말한다.

> "여기는 내 왕국이나 마찬가지야. 내가 마음만 먹으면 못할 게 없지. 목청이와 미노도 다 내가 취직시켜 준 거야. 미노가 열심히 일하지 않아서 좀 걱정이긴 하지만 말이야."(p.68)

느~린마을에서 자신만만하면서도 친구들을 존중했던 꽃뱅이가 왜 이상마을에서는 거드름을 피우고 허세를 부리는 존재가 되었을까? 느~린마을과 달리 이상마을에서는 모두에게 빵이 제공되지 않기 때문이다. 빵을 가진 이는 우위에서서 빵을 가지지 못한 이를 내려다본다. 이상마을에서 꽃뱅이는 마중이, 목청이, 미노를 더 이상 친구로 생각하지 않고 아랫사람으로 대한다.

꽃뱅이가 이렇게 우위를 점할 수 있는 것은 창고 덕분이다. 창고는 꽃뱅이의 자본 축적을 상징한다. 동물들은 그의 창고를 채우기 위해 희생한다. 노동력을 제공하고, 그 과정에서 산재를 당하기도 한다. 마중이가 묻는다.

"모두들 열심히 일하고 있네요. 무엇을 짓고 있는 건가요?"
"곡식을 넣어 둘 창고를 짓고 있어. 곡식은 많은데 창고가 항상 부족하거든. 여기에서 일하고 싶어?"(p.76)

꽃뱅이 소유의 곡식은 넘쳐 나고, 그것을 넣어 둘 창고는 늘 부족하다. 꽃뱅이는 자신의 창고와 권력을 유지하기 위해 친구 목청이를 앞잡이로 고용하고, 천적인 개구리와 내통하기도 한다. 목청이가 말한다.

"개구리 님을 잘 만나고 왔어."(p.78)

이 말은 꽃뱅이가 개구리와 작당 모의를 하고 있으며, 목청이도 여기에 가담하고 있음을 보여 준다.

부와 권력을 소유하고, 그것을 지키기 위해 어떤 일이든 서슴없이 하는 꽃뱅이는 두려움의 대상이 된다. 마중이가 이상마을에서 꽃뱅이를 처음 만난 뒤 보이는 행동은 더 이상 둘이 평등한 친구 관계가 아님을 보여 준다.

> 마중이는 거드름을 피우는 꽃뱅이의 태도에 하마터면 존댓말을 할 뻔했다.(p.74)

아무도 말하지 않았다

프레이리는 『페다고지』에서 침묵의 문화와 자유의 공포에 대해 경고하고 있다. 즉 생존을 위협받는 상황에 처하면 그 최소한의 조건마저 잃을지 모른다는 두려움으로 아무도 말하지 않는 문화가 형성되고, 이런 상황에서 자유롭게 발언할 기회는 오히려 공포스러운 순간이 된다는 것이다.

우화의 이상마을 주민들에게 자본가인 꽃뱅이 앞에서 말할 수 있는 기회가 주어졌다. 하지만 이 자리는 허울만 좋은 토론회일 뿐 꽃뱅이는 참석하지도 않는다.

> 토론회에는 꽃뱅이만 없는 것이 아니었다. 말하는 이가 아무도 없었다. 마치 아무 일 없다는 듯, 어느 누구도 입을

열지 않았다.(p.86)

마중이는 토론회의 광경을 이해할 수 없었고, 이는 시간이 흘러 일에 익숙해진 후에도 여전했다.

> [마중이는] 보고도 못 본 척 아무 말 않고, 듣고도 못 들은 척 아무 말 않는 것에는 여전히 적응하기 힘들었다.(p.87)

말을 들어줄 꽃뱅이도, 말하는 주민도 없는, '이상한' 토론회의 비밀은 이후 목요클럽 회원들의 말에서 드러난다.

> "전에 순진한 일개미가 솔직하게 불만 사항을 지적했다가, 다음 날 바로 해고됐거든요."(p.90)

독일 장교 아이히만은 히틀러의 유대인 대학살을 진두지휘한 인물이다. 그런데 그는 전범 재판에서 자신은 평범한 공무원으로 직무에 충실했을 뿐이며, 히틀러가 나쁘다는 것을 몰랐다고 증언했다. 그렇다면 아이히만은 죄가 없는 것일까? 한나 아렌트는 저서 『예루살렘의 아이히만』에서 악의 평범성, 즉 평범한 사람이 아무 생각이 없을 때 악이 만들어진다고 주장한다. 여기서 두 번째 질문이 생긴다. 과연 아이히만을 비롯한 당시 독일 전범들은 히틀러의 잘못을 몰랐을까? 아우슈비츠 수용소 생존자인 프리모 레비는 저서 『이것이 인간인가』에서 고의적인 태만함에 대해 지적한다. 즉 '사람들이 알려고 했으면 알 수 있었으나 모르는 척하고 싶었기 때문에 몰랐다'는 것이다.

침묵의 문화, 자유의 공포, 악의 평범성, 고의적인 태만함 등의 담론은 부당한 현실에도 불구하고 분노하지 못하는 억눌린 사람들을 보여 준다. 이런 현상은 왜 일어나는 것일까? 프레이리에 따르면, 억압자들의 대화적 행동에 반하는 전략인 정복, 분할 통치, 조작, 문화 침략 등으로 인해 이런 현상이 나타난다.

> [정복] 모든 정복 행동은 정복자와 정복 대상(사람과 사물)을 포함한다. 정복자는 자신의 목표를 피정복자에게 강요하며, 그들을 자신의 소유물로 만든다. 그는 자신의 모습을 피정복자에게 강요하고, 피정복자는 그 모습을 내면화해서 타자를 자기 안에 가진 모호한 존재가 된다.
> —프레이리, 『페다고지』, p.164

> [분할 통치] 소수의 억압자가 다수를 정복하고 지배할 때는 다수를 분할하고 그 분할 상태를 지속시켜야만 권력을 유지할 수 있다.
> —『페다고지』, p.167

> [조작] 조작을 통해 지배 엘리트는 대중을 자신들의 목적에 따르도록 만든다. … 민중에 대한 조작은 주로 이 장의 앞부분에서 소개한 여러 신화들을 통해서 이루어지지만 또 다른 신화도 있다. 그것은 부르주아지가 민중에게 신분 상승의 가능성을 보여주는 모델이라는 신화다. 하지만 이 신화가 제대로 기능하려면 민중이 부르주아지의 말을 받아들이고 믿어야 한다.
> —『페다고지』, p.174

> [문화 침략] 문화 정복은 침략당하는 사람들의 문화적 정체성을 파괴하므로 피침략자는 침략자의 가치관, 기준, 목표를 따르게 된다.
> —『페다고지』, p.181

프레이리는 이런 전략을 통해 지배자들이 피지배자들의 몸에 자연스럽게 기생하여 살아간다고 주장한다. 즉 지배자들은 피지배자들이라는 숙주 덕분에 살아가는 것이다. 이런 지배자와 피지배자의 관계를 우화에서는 개미들을 속여서 자신의 이득을 몰래 취하는 딱정벌레의 습성에 비유하고 있다.

> 딱정벌레들은 개미들끼리 의사소통을 하기 위해 내뿜는 페로몬을 해독할 뿐만 아니라, 의사소통 방법까지 알고 따라한다고 한다. … 딱정벌레가 개미집을 제집처럼 드나들며 자신의 알을 낳아 놓으면, 개미들은 그것도 모르고 그 알들을 정성껏 보살핀다고 한다.(p.92)

이처럼 사실 지배자를 먹여 살리는 것은 피지배자들이다. 그럼에도 불구하고 지배자들의 전략 탓에 피지배자들은 지배자들이 자신들을 먹여 살리는 은인이라고 착각한다.

그렇다면 부당한 질서와 침묵의 문화를 어떻게 극복할 수 있을까? 프레이리는 의식화와 문화 서클을 대안으로 제시한다. 의식화는 부당한 질서를 인지하는 세상읽기 활동으로, 혼자가 아니라 함께 해야 한다. 이를 위해 필요한 것이 문화 서클, 즉 학습동아리이다. 북유럽의 국가들은 성인 인구의 70% 이상이 학습동아리에 참여하고, 학습동아리는 국가의 의사 결정에 영향을 미친다. 그래서 이 나라들의 정치 시스템을 '학습동아리 민주주의'라고 부른다.

우화에서도 이상마을 주민들 중 일부가 모여 목요클럽이라는 학습동아리를 만들었다.

> "우리는 매주 목요일 저녁마다 만나서 동료들의 죽음과 우리가 처한 상황에 대해 이야기 나누는 '목요클럽'이란 모임을 하고 있습니다. 꽃뱅이는 모르는 비밀 모임이지요."(p.91)

하지만 마중이는 목요클럽을 소개받은 직후에는 가입을 보류한다. 목요클럽과 같은 모임의 역할과 힘에 대한 확신이 없었기 때문이다. 자력으로 상황을 바꿀 의지가 소진되고, 약자들의 힘을 불신하는 데다, 지배층에 대한 두려움, 상대인 꽃뱅이가 친구인 데 따른 내적 갈등 등 오래도록 억압된 피지배층의 특징을 마중이는 그대로 드러낸다. 그리고 그로 인한 결과는 마중이가 스스로 제기하는 다음의 물음에서 단적으로 나타난다.

'먹고살기 급급한 상황에서는 분노라는 감정도 사치인 것일까?'(p.93)

이 책의 목요클럽은 역사적으로 존재했던 모임에서 유래한다. 1946년 스웨덴 총리로 당선된 타게 에를란데르는 격주 목요일 저녁마다 노사 대표를 초대하여 함께 저녁 식사를 했다. 당시 극심했던 노사 갈등을 대화로 풀기 위해서였다. 이 모임은 그가 1969년 퇴임하기까지 23년의 집권 기간 내내 이어졌다. 이 모임이 일명 목요클럽이다. 목요클럽을 통해 이루어진 사회적 합의는 노사 타협과 경제성장, 그리고 복지국가의 원동력이 되었다. 이를 통해 에를란데르 총리는 모두가 안전한 국민의 집을 만들었다. 필자가 참여하고 있는 사단법인 마중물은 목요클럽에 영감을 받아 책, 영화, 정치를 소재로 시민들과 토론하는 목요광장을 운영하고 있다.

아무도 알려 하지 않았다

마중이는 친구 미노와 미수 아줌마 아들의 죽음 앞에서 비로소 사회 구조를 직시하게 된다. 활동가들의 리더가 된 미수 아줌마를 재회한 직후의 일이다. 그리고 자책한다.

'왜 나는 좀 더 일찍 그들과 함께 현실을 바꿀 생각을 하지
못했을까? 그랬더라면 미노를 그렇게 보내지 않을 수도
있었을 텐데.'(p.105)

마중이는 친구의 죽음을 겪은 후 목요클럽에 동참하기로 결단을 내린다. 마중이의 결단은 함께하는 동료가 있기에 외롭지 않다.

마중이와 미수 아줌마는 손을 굳게 맞잡았다.
목요클럽 회원들은 그들을 둘러싸고 박수를 쳐 주었다.
마중이는 이상마을에 온 이후 처음으로 혼자가 아니라고
느꼈다.(p.108)

자각

지배자들은 늘 신화를 내세운다. 자신들에게 유리한 논리를 만들고, 이것을 신화화하여 지배하는 데 활용하기 위해서다. 프레이리는 말한다.

억압자가 지닌 견해를 내면화하는 데서 비롯되는
자기비하는 피억압자의 또 다른 특징이다. 그들은 아무

> 짝에도 쓸데없다는 말을 워낙 자주 들었기에 아무것도 모르고 아무것도 배울 수 없으며 —병들고 게으르고 무위도식한다는 등— 결국에는 자신이 무용한 존재라는 믿음을 가지기에 이른다.
>
> —『페다고지』, p.75

프레이리는 피억압자의 이런 태도를 '식민화된 심성'이라고 표현한다. 목요클럽의 회원들은 토론 과정에서 지배층인 꽃뱅이와 딱정벌레들의 신화가 조작되었음을 자각한다.

> "딱정벌레가 개구리를 사냥할 정도로 힘이 세기 때문이죠."(p.109)

목요클럽의 핵심 멤버인 일만이마저 '딱정벌레는 힘이 세고, 곤충들은 무기력하다'는 딱정벌레에 의해 조작된 신화를 그대로 믿고 있다. 미수 아줌마는 곤충들의 잘못된 믿음을 반박하며, 개구리 사냥에서 실제로 중요한 역할은 나비와 매미들이 하고 있음을 알려 준다.

꽃뱅이가 다른 곤충들과 함께 개구리를 사냥했음에도 그

공을 독점하는 이야기는 지배층이 노동자들의 희생으로 얻은 혜택을 독점하고, 강자에 대한 신화까지 조작하고 있음을 은유적으로 드러낸다.

알린스키는 『급진주의자를 위한 규칙』에서 약자들은 힘을 가져야 하며, 그 힘은 조직에서 나온다고 주장한다.

> 나의 목적은 힘(권력)을 얻기 위하여 어떻게 조직해야 하는지, 즉 어떻게 힘(권력)을 얻고 사용할 것인지에 대하여 제안하는 것이다.
> —알린스키, 『급진주의자를 위한 규칙』, p.48

조직은 부당한 질서를 변화시키는 힘이다. 목요클럽 회원들은 서로의 차이를 인정하고 상대방을 존중하면서 조직화의 힘을 알아 간다.

> "우리는 모두 나름의 장점을 가지고 있었네요. 결코 약한 존재도, 쓸모없는 존재도 아니었어요."
> "네! 우리가 함께한다면 수적으로 보나 능력으로 보나 딱정벌레를 두려워할 이유가 없어요."(p.112)

알린스키는 지키고 싶어 하는 유산자와 갖고 싶어 하는 무산자 사이에는 갈등이 잠재되어 있다고 보았다. 그 가운데 존재하는 중산층은 더 갖고 싶어 하면서도, 가진 것을 잃을까봐 걱정하는 존재이다.

> 유산자들과 무산자들 사이에는 조금 가지고 있지만 더 갖고 싶어 하는 자들, 곧 중산층이 존재한다. 자신들이 가진 조그마한 것이나마 지키기 위하여 현존 질서를 유지하고자 하는 욕구와 더 많이 갖기 위하여 변화를 추구하려는 욕구 사이에서 그들은 정신분열증 환자가 되고 만다.
> —『급진주의자를 위한 규칙』, p.60

알린스키는 중산층의 특징을 설명하며 중산층의 조직화가 매우 중요하다고 강조한다. 이 책에서도 반딧불이를 중산층으로 설정하고 이들의 행동에 주목했다. 이상마을의 목요클럽이 더욱 힘을 가질 수 있었던 것은 중산층인 반딧불이 모임에 합류했기 때문이다.

민주적인, 너무 민주적인

민주주의는 민(民)이 주인이 되는 체제이다. 이는 형식적 민주주의와 실질적 민주주의로 구분될 수 있다. 형식적 민주주의가 실현되면 누구나 투표권을 갖고 발언권을 갖는다. 그렇다면 이 체제에서 누구나 자유롭게 말할 수 있을까? 형식적으로는 그렇지만 실질적으로는 가진 자, 시간적인 여유가 있는 자, 정보를 많이 가진 자만이 말할 수 있다. 모두가 실질적으로 말할 수 있게 하려면 어떻게 해야 할까? 불평등의 조건을 구조적으로 제거해야 한다. 특히 빵이 결핍되었을 때는 자유롭게 말할 수 없으므로, 실질적 민주주의를 실현하기 위해서는 필수적으로 사회권이 보장되어야 한다.

주민들의 저항 앞에서 꽃뱅이와 딱정벌레들은 형식적 민주주의를 도입하기로 결심한다. 주민들을 지배하려는 그들의 목표가 변한 것이 아니라 지배의 전술을 바꾼 것이다. 꽃뱅이는 '폭우가 쏟아지기 전에 피하는 것이 상책'이라면서 주민의 투표권을 보장하는 전술로 자신들의 지배력을 유지하려 한다.

이 대목은 1987년 우리나라의 민주화 과정을 연상시킨다. 거센 민주화의 요구에 지배 세력은 기존의 투표 방식인 간선제를 철회하고 직선제를 수용함으로써 지배를 유지한다. 군부독재 세력은 민간의 옷을 입고 자신들이 '보통 사람'이라고 주장하면서 민주화 세력을 분열시키고자 했고, 이 전략에 따라 집권에 성공한다.

딱정벌레 후보도 보통 곤충임을 강조하는 선거운동을 한다. 같은 딱정벌레에 속하지만 주민들에게 평판이 좋은 쇠똥구리를 자신들의 이미지 정치에 활용한 것이다. 쇠똥구리는 겉으로 보기에 성실하고 타인에게 피해를 주지 않는 곤충이다. 초식성으로 다른 곤충을 사냥하지도 않는다. 쇠똥구리끼리는 치열한 먹이 쟁탈전을 벌이지만[8] 이상마을 주민들은 쇠똥구리의 숨겨진 특징까지는 잘 몰랐던 듯하다.

딱정벌레들은 선거운동 과정에서 주민들의 공포를 극대화하는 전략을 쓴다. 이를 위해 이상마을의 안전을 위협하는 개구리를 선거운동에 활용한다. 개미인 일만이의 지도자로서의 결격 사유로, 개구리에 대항하지 못할 것이라는 점을 강조하기 위해서다. 이런 잠재적 위험을 과장하기 위해 개구리와 손잡고 가난한 동네인 동쪽 동네 주민들을 희생시키기까지 한다.

---

8 이 책의 245-246쪽 참조.

> 선거운동이 한창이던 어느 날 밤, 이상마을의 동쪽 동네에
> 개구리 떼가 나타나 주민들을 마구 잡아먹는 사건이
> 일어났다.(p.124)

우화 속 사건은 한국의 현실 정치에서 착안한 것이다. 이른바 '색깔론'은 보수 세력의 단골 전략이다. 북한의 실제 움직임과 상관없이 북한은 그 존재 자체로 두려움의 대상이었다. 이런 전략을 쓰는 것은 북한도 마찬가지다. 미국과 남한에 대한 담론이 북한 주민들을 두렵게 만들었다. 보이지 않는 유령이 한반도를 떠돌고 있는 것이다.

3부 권리

자유권은 사회권이 있어야 누릴 수 있다. 이상마을 주민들은 자유권을 획득했지만, 여전히 말을 할 수 없었다. 또한 1인 1표의 투표권을 획득했지만, 선거에서는 민중을 대표하는 개미가 아닌 딱정벌레가 대표로 당선되었다. 빵이 보장되지 않는 상황에서 장미를 얻는 것은 불가능했다. 3부는 주민들이 집과 쉼으로 대표되는 사회권의 중요성을 인식하는 과정을 보여 준다.

분노

마중이는 딱정벌레를 대표로 뽑은 주민들의 선택에 분노했다. 그들의 침묵과 순응은 왜 지속되는 것일까? 마중이는 이것이 부당한 질서 때문임을 깨달았다.

> 마중이도 배고픔 앞에서는 말할 자유가 그림의 떡이라는 것을 잘 알고 있었다. 표현의 자유는 가진 자만이 누릴 수 있는 여유이다. 생존을 걱정해야 하는 곤충은 말할 자유가 주어져도 말할 수 없기에 오히려 굴욕감만을 느낄 뿐이다.(p.131)

필자는 이와 같은 사례를 여러 번 목격했다. 마트에서 일하는 명선 씨(가명)는 인문학 강의 후 만들어진 책모임에 열심히 참여했다. 그런데 어느 날 명선 씨는 이제 책모임에 나오지 않겠다고 했다. 이유를 물으니 인문학 공부를 하기 전에는 그냥 지나쳤을 마트 사장의 발언에 이제는 비판 의식이 생겼지만, 해고당할까 두려워 말할 수 없는 상황이 오히려 힘들다고 했다. 차라리 모르던 때가 마음이 편했다고 한다.

“차라리 말할 자유가 없을 때는 마음이 편했다고. 그때는 자유가 없으니 시키는 대로만 하면 된다고 생각했는데, 이제는 말할 수 있는데도 겁이 나서 말하지 못하는 것이 더 괴롭다고 말이죠.”(p.130)

자유주의자와 사회민주주의자들은 자유권과 사회권의 관계를 다르게 이해한다. 프랑스 대혁명 당시의 자유권은 개인 재산에 대한 신성불가침의 권한을 보장하는 것을 핵심 요소로 담고 있다. 즉 국가로부터 개인 재산을 지키는 것이 중요했다. 그런데 사회권을 보장하기 위해 보편적인 복지를 시행하려면 소득 이전이 필수적이다. 그래서 소득 이전을 사유재산의 침해라고 보는 자유주의자들은 인권을 논할 때 사회권을 포함시키지 않는다. 반면 사회민주주의자들은 시민들이 사회권을 보장받지 못하는 상황에서는 자유권도 누릴 수 없다고 본다. 어떤 상황에서든 최소한 배고프지 않아야 자유롭게 말할 수 있다고 보는 것이다. 이런 점에서 사회민주주의자들에게 자유권과 사회권은 불가분의 관계인 하나의 인권이다.

집

직접 대표를 뽑고 자기 목소리로 말할 자유를 얻었음에도 그 자유가 무용지물이 되는 현실에 분노한 마중이는 길을 떠난다. 그리고 집달팽이와의 만남을 통해 안정적인 삶의 조건을 상징하는 '집'에 대한 다양한 고민을 하게 된다.

집달팽이는 민달팽이인 마중이와 달리 집을 가지고 있고, 마중이는 이를 부러워한다. 그런데 집달팽이는 집 때문에 더 힘든 삶을 살고 있음을 토로한다.

> "우리 집달팽이들은 태어나면서부터 집을 짓고, 키우는 게 유일한 목적인 삶을 살고 있어요. 집과 함께 태어나서 집을 키우기 위해 살다가, 이 집이 없어지면 죽는 거죠. 집을 열심히 만들었으니 안전할 권리가 있지만, 때로는 이 집이 부담스럽기도 해요."(p.139)

오늘날 집값은 너무 비싸다. 집은 살 것(to buy)인가, 살 곳(to live)인가? 집이 너무 비싼 상품이 되면서 시민들은 집을 얻기 위해 일한다. 우리는 흔히 먹기 위해 사는 것일까, 살기 위해 먹는 것일까라는 질문을 던진다. 이 맥락에서 생각해 보면 시민들은 살기 위해 집을 얻는 것이 아니라, 집을 얻기 위해 사는 것이다. 그리고 그 집은 신분과 부의 상징이 된다.

> 집달팽이들은 서로 집을 비교하고 그 과정에서 스트레스를 받는다고 한다. 무엇보다 충격적인 사실은 안식처인 집이 때로는 집달팽이에게 위험의 원인이 되기도 한다는 점이다. 늑대달팽이들은 집달팽이들이 오도 가도 못하게 집의 입구를 막고는 집 속으로 서서히 들어와 집달팽이들을 잡아먹는다고 한다. 집달팽이가 평생 애써 만든 집이 스스로에게 덫이 되는 것이다.(p.140)

대부분의 시민들은 은행의 융자로 집을 사고, 이 융자 빚을 갚으려고 산다. 빚에 쪼들리는 시민 입장에서 볼 때 금융기관이 우화에 등장하는 늑대달팽이처럼 느껴지지 않을까.

흥미로운 점은 집달팽이가 집을 벗어던지고 홀가분하게 빨리 움직이는 방향으로 진화가 이루어졌다는 것이다. 그렇다면 현실에서의 집 문제는 어떻게 해결해야 할까? 필자는 집의 탈상품화를 실현하고, 공공 주택에서 그 답을 찾아야 한다고 본다.

쉼

흰개미는 집 짓는 솜씨도 뛰어나고 육아 및 농사를 공동으로 하는 등 협동의 상징이라 할 수 있다. 그리고 노동 과정에서 쉬는 시간을 갖는 모습이 포착된 특징적인 곤충이다.

> 고된 노동의 반복으로 쉴 틈이 없게 되면 생각할 여유도 없다. 고된 노동이 일상이 되면, 생각하는 것 자체가 사치가 될지도 모른다. 그러나 흰개미들은 쉴 수 있기 때문에 이상마을의 곤충들과 다른 삶을 살 수 있었다.(p.148)

한국 노동자들의 연간 노동 시간(1915시간, 2021년 기준)은 스웨덴 노동자들(1444시간)보다 30% 이상 많다. 더 끔찍한 것은 한국 학생들의 공부 시간이다. 한국 학생들은 오로지 좋은 대학에 진학하기 위해 노동자보다 더 많은 시간을 책상 앞에서 보낸다. 한국의 노동자와 학생들이 쉼 없이 일과 공부만 하는 이유는 무엇일까? 우화 속 흰개미마을과 느~린마을, 이상마을 간의 차이가 그 답을 시사한다.

> 생각해 보니 느~린마을에서 곤충들이 행복했던 이유는

사방에 널린 풍부한 먹거리 덕분이었다. 풀, 과일, 나무는 어느 개인의 소유가 아니라 모두의 것이었다. 무엇보다 누구나 머물 수 있는 공간이 되어 준 바오밥나무의 역할이 컸다. 바오밥나무는 곤충들이 쉬고, 놀고, 생각할 수 있는 모두의 집이었다. 생각은 휴식에서 나오고, 휴식은 먹을거리와 집이 있을 때 가능하다.(p.149)

이상이 일상이 되도록 상상하라

사회권과 자유권이 보장되고, 분배를 통해 주민들이 평등한 사회! 권리가 기여나 업적에 따른 보상이 아니라 존재 그 자체로 부여되는 사회! 모든 생명이 자기답게 살아갈 수 있는 사회! 목요클럽이 도달한 상상이다.

"제 이상은 모든 생명이 소중하게 여겨지는 세상이 되는 거예요."
"저는 덜 가졌다고 부끄러워하지 않고, 더 가졌다고 으스대지 않는 세상에서 살고 싶어요."
"차이가 편안히 드러나는 광장과 같은 세상을 만드는 것이 제 꿈이에요."(p.157)

오늘날 이상과 일상은 일치하지 않는다. 마치 느~린마을의 이상이 이 책의 이상마을과 다르듯이 말이다. 중요한 것은 이상을 현실로 만들기 위해 동료들과 함께 토론하고 상상하기를 포기하지 않는 태도이다. 인류 역사에서 실현 불가능해 보였던 이상들은 '감히' 이를 상상하는 존재들로 인해 일상이 되었다. 그런 의미에서 상상은 변화를 위한 중요한 첫 단계이다. 그리고 이 상상이 실천으로 연결될 때 이상은 일상이 된다.

4부 길

> 자유권과 사회권 보장을 꿈꾸게 된 이상마을이지만 마중이에 대한 차별은 여전했다. 그가 외부인인데다 암수동체라는 이유 때문이다. 현실에서도 외국인 노동자이거나 난민이라는 이유로, 또는 성 소수자라는 이유로 차별받는 경우가 많다. 게다가 인간은 동물과 식물을 인간이 아니라는 이유로 차별한다. 4부는 인권에 대한 논의를 자유권과 사회권 너머 차별받지 않을 권리와 생명권 차원으로 확장한다.

반격

사회권이 이상마을의 쟁점이 되자, 꽃뱅이는 사태의 심각성을 깨닫고 직접 정치에 뛰어들었다. 그는 왜 조급해졌을까? 사회권이 보장되는 것에 대한 우려 때문이다. 사회권은 소득 이전 정책을 필수적으로 포함하기 때문에 꽃뱅이 입장에서는 재산상의 손해를 입을 수 있다. 돈 외에 더 큰 문제가 있다. 바로 사회권이 보장되면 꽃뱅이의 권력이 약화될 수 있다는 점이다. 생활에 여유가 생긴 주민들이 자유롭게 말하고 마을 일에 적극적으로 참여하게 되면, 꽃뱅이는 더 이상 멋대로 권력을 휘두를 수 없다. 이처럼 꽃뱅이는 돈과 권력을 주민들과 나눠야 하는 상황을 막기 위해 정치에 나선 것이다.

> '내 앞에서 쩔쩔매던 주민들이 권리니 뭐니 하면서 목소리를 내기 시작하면 피곤해질 텐데. 더 늦기 전에 대책을 세워야겠어!'(p.160)

직접 정치에 나선 꽃뱅이가 세운 통치 전략의 핵심은 상대의 분열이다.

> '강자의 힘은 약자의 두려움과 분열에서 나온다.'(p.163)

꽃뱅이는 사회권 논쟁을 흐리고, 주민들의 두려움을 극대화하기 위해 새로운 위험을 등장시킨다. 바로 인간이다. 인간은 지금까지 이상마을을 위협해 왔던 개구리와는 비교도 되지 않을 강력하고 위험한 존재였다.

> "개구리가 왜 다 사라졌을까요? 그것은 개구리보다 더 무서운 존재, 바로 인간 때문입니다."(p.164)

인간은 지금까지 동물과 식물을 착취해 왔다. 이들은 인간에게 이윤과 생존을 위한 대상 그 이상도 그 이하도 아니었다. 인간은 자신에게 이익이 되지 않는 것은 잡초나 유해 동물로 분류하고 무차별적으로 공격했다. 우화 속 쇠똥구리도 최상위 포식자인 인간 때문에 멸종위기종이 되었다. 그런데 과연 동물과 식물은 인간에게 계속 당하고만 있을까?

소문

꽃뱅이는 인간에 대한 두려움을 심어 주는 동시에 마중이에 대한 차별과 혐오의 공격을 개시했다. 목요클럽의 핵심인 마중이는 이상마을 주민이 아니라 외부자, 즉 외국인이다!

"여러분, 우리들 대부분은 느~린마을을 비롯한 다른 곳에서 어린 시절을 보내고 성충이 되어 이상마을로 이주해 왔습니다. 다른 곳에서 왔다는 이유로 외부자라 한다면 우리 모두가 외부자입니다. 그런데도 '누구는 외부자'라며 구분하고 혐오를 조장하는 것은 잘못된 태도입니다."(p.168)

일만이는 난민, 이민에 대한 차별적 시선에 맞서는 모습을 보여 준다. 난민, 외국인 노동자, 이민자 등을 인권의 관점에서 보면 같은 국민은 아니지만 같은 인간이다. 따라서 이들은 존엄성을 가진 존재라는 점에서 다를 바가 없다. 물론 피부색, 역사, 습관, 문화 등이 다를 수 있다. 보통 다문화교육을 할 때 우리는 서로 다른 점을 부각하여 가르친다. 하지만 인권의 관점에서 다문화교육을 고민한다면 차이를 강조하기에 앞서 모두 존엄한 인간임을 먼저 가르쳐야 한다.

마중이와 미수 아줌마가 외부인이라는 차별 전략이 통하지 않자, 결국 꽃뱅이는 비장의 카드를 꺼냈다. 마중이가 암수동체라는 사실을 이용하려는 혐오 전략이다.

보고서를 읽던 꽃뱅이의 표정이 순간 일그러졌다. 그 모습을

본 목청이는 무엇이 잘못되었나 싶어 안절부절못하며
눈치만 살폈다. 잠시 고민하던 꽃뱅이는 결심을 굳힌 듯 이내
고개를 끄덕이며 야비한 웃음을 지었다.(p.163)

꽃뱅이가 목청이의 보고서를 보고 얼굴이 일그러진 이유는 무엇일까? 자신도 암수동체이기 때문에 잠시 고민했던 꽃뱅이는 자신의 정체성은 숨긴 채 마중이에 대한 혐오 전략을 밀고 나간다. 선거에서 승리하기 위해 수단과 방법을 가리지 않는 꽃뱅이의 면모를 잘 보여 준다.

꽃뱅이는 목청이가 만든 보고서를 자신의 목적에 맞게
잘 써먹고 있었다. 곧 이상마을에는 또 다른 소문이 돌기
시작했다.
'사실 마중이는 암수동체래.'(pp.169-170)

마중이가 성 소수자임을 부각시키는 꽃뱅이의 전략은 성공한다.

"마중이를 처음 봤을 때 우리랑 뭔가 다르다고 느꼈는데
암수동체였다니, 소름 끼쳐요."

"왜 마중이는 우리 마을에 왔을까요? 무슨 목적이 있었던 거 아닐까요?"
"뭔가 께름직해요."(p.170)

목요클럽 내부에서도 성 소수자에 대해 부정적인 견해를 가진 회원이 있다. 암수동체의 진실이 무엇이든 이 문제는 선거에서 악재임이 분명했다. 마중이는 자신이 선거에 나쁜 영향을 미치고, 목요클럽 회원들과 미수 아줌마에게 부담이 되고 있다는 사실에 결국 이상마을을 떠난다.

우정

마중이는 느~린마을에 대한 짙은 향수를 갖고 있었다. 그래서 느~린마을로 돌아가 쉬고 싶었다. 하지만 다시 만난 보라 할아버지는 느~린마을에 대한 상상 밖의 이야기를 들려준다.

"네가 어린 시절에 지냈던 그 마을을 이상적으로 기억하고 있을 뿐, 느~린마을도 이상마을과 다를 게 없는 보통 마을이란다."(p.176)

이 부분은 사회계약설을 주장하는 철학자들이 말한 자연상태가 완전한 공동체가 아니라 불안정성이 잠재된 사회라는 점을 설명하기 위한 설정이다. 그래서 안전을 확실하게 하기 위해 개인은 국가와 사회계약을 맺는다. 홉스는 저서 『리바이어던』에서 자연상태는 너무 평등하기 때문에 불안하다고 말한다. 평등하다 보니 복종할 권위가 없고, 그러다 보니 만인에 대한 만인의 투쟁이 벌어질 수 있다. 그래서 강력한 군주가 필요한데, 그것이 절대 권력인 리바이어던이다. 로크와 루소는 자연상태가 나쁘지는 않지만 늘 불안한 상태라고 보았다. 그래서 로크는 자유와 재산을 지키기 위해서, 루소는 불평등을 해소하고 자유롭기 위해서 사회계약을 맺어야 한다고 주장한다.

가곡 〈고향의 봄〉은 고향의 자연을 예찬한다. 고향의 자연은 사람과 달리 변하지 않기 때문에 예찬의 대상이 된다. 그러나 마중이의 고향인 느~린마을은 자연마저 달라졌다. 영원하리라 믿었던 바오밥나무가 쓰러져 죽었다는 소식에 마중이는 좌절한다.

실제 아프리카에서도 기후변화로 바오밥나무가 죽어 가고 있다. 바오밥나무는 우기에 저장한 물로 건기를 지나는

데, 지구온난화로 가뭄이 지속되어 물을 충분히 저장하지 못해 죽는다고 한다. 또한 바오밥나무의 씨를 퍼뜨리는 생물이 사라져 번식마저 힘든 실정이다. 박각시나방은 바오밥나무의 꽃가루를 옮겨 주는 곤충이다. 낮에 주로 활동하는 박각시나방은 아름답고 큰 나방으로 벌새를 닮았다. 그런데 기후변화로 인해 박각시나방이 사라지고 있다. 인간의 무분별한 개발 등 자연에 대한 공격으로 위기에 처한 동물과 식물은 죽음으로써 인간에 저항하고 있다.

이 책 마지막 장의 제목은 우정이다. 이 책의 주제가 좋은 공동체를 만드는 사회적 우정이기 때문이다. 우정은 내 주변의 이웃을 시민과 인간이라는 평등한 존재로 인정하고, 이들과 더 나은 공동체를 형성하려는 태도이다. 이런 의미에서 사회적 우정은 가족의 경계를 넘어선 시민들의 연대이다. 이 우정은 국경을 넘고, 인간이라는 종을 넘어서야 한다. 그래서 진정한 우정은 우열에 기반한 종차별주의를 배격한다. 코스타리카의 도시 쿠리다바트는 더 나은 공동체를 만들기 위한 흥미로운 선언을 했다.

쿠리다바트의 시장이었던 에드가 모라 알타미라노는 꽃가루

매개자와 나무, 야생식물도 시민으로 인정하고, 도시 전체를 인간뿐만 아니라 야생동식물을 위한 안식처로 가꾸겠다고 발표했다.

—『벌레가 지키는 세계』, p.38

과연 이상마을로 돌아간 마중이는 친구들과 함께 부당한 질서에 맞서 누구나 존중받는 세상을 만들 수 있을까? 더 나아가 인간과 서로를 인정하고 공존하는 세상을 만들 수 있을까? 마중이와 친구들, 그리고 목요클럽에 연대의 메시지를 보낸다.

4. 이 책의 독자이자 토론하는 벗에게

이상이 일상이 되도록 상상하라, 상상상!

필자가 참여하고 있는 시민단체 '시민교육과 사회정책을 위한 마중물'(이하 사단법인 마중물)과 '협동조합 마중물 문화광장'(이하 협동조합 마중물), 재직 중인 한국방송통신대학교 사회복지학과에서 주문처럼 외치는 구호이다.

이상은 꿈이다. 많은 철학자들이 고민해 온 '모든 인간이 행복한 공동체'와 우리나라 헌법이 추구하는 '인간답게 살 권리를 보장하는 사회'를 꿈꾸는 것이 이상이다. 이상은 빵과 장미의 권리, 즉 시민권, 인권 혹은 생명권으로 구체화되어 왔다.

이상은 바로 일상, 즉 현실이 되지 않는다. 그렇다면 어떻게 해야 할까? 상상부터 해야 한다. 이상이 일상이 되는 상상! 이것은 두 가지 차원의 설계도로 나타날 수 있다. 우선,

이상을 알고 이상 실현을 위한 세력화의 설계도가 필요하다. 둘째, 이상의 제도화를 위한 설계도, 예를 들어 이상이 반영된 법이나 제도, 국가 형성 등과 관련된 설계도가 필요하다. 그리고 이 설계도대로 세력화와 제도화를 실천하는 것까지가 상상이다.

독자들은 이 책에서 제시하고 있는 이상(방향과 철학), 이상이 일상이 되는 상상(세력화와 제도화의 두 설계도), 그리고 상상이 실현된 일상의 사회(철학이 제도화되어 실현된 사회 모습)에 주목하기를 권한다. 이 책에서 이상은 모든 생명의 권리와 관련된 것이다. 즉 빵, 장미, 자유권, 사회권, 그리고 모든 차별의 철폐 등을 권리라고 주장한다. 책은 부당한 질서와 불의에 대한 동물들의 토론과 연대의 광장인 목요클럽을 중심으로, 이상이 일상이 되는 상상과 실천을 다루었다. 그렇다면 상상이 일상이 된 사회는 어떤 사회일까? 누구도 배고프지 않는 소크라테스의 사회이고, 차이가 편안히 드러나는 광장의 공동체이다.

이 책은 상상상이 하루아침에 주어지고 진화론적으로 발전해 가는 것이 아니라고 주장한다. 광장과 공동체는 끊임없는 토론 → 갈등 → 대화 → 변화 → 갈등 → 토론 → 실천 →

비판 등 비정형의 과정 속에서 만들어진다.

이 책을 집필하는 과정에서 '이상이 일상이 되도록 상상하라'는 모토는 인권에 가장 어울리는 담론이라고 생각했다. '모든 생명이 권리를 갖는 이상이 현실이 되도록 상상하고 실천하는 것'이야말로 시민교육과 시민 행동의 지향을 압축적으로 담고 있기 때문이다. 그래서 책의 제목을 『이상이 일상이 되도록 상상하라: 민달팽이의 인권 분투기』(이하 인권 상상상)로 정하는 것이 자연스러웠다.

『인권 상상상』은 필자가 구상하고 있는 여섯 권의 우화 시리즈 중 세 번째 이야기다. 자본주의 역사를 다룬 『이매진 빌리지에서 생긴 일』[9]과 정의를 찾는 방법을 담은 『정의를 찾는 소녀』가 이미 출간되었다. 사실 두 번째 책을 출간할 때만 해도 과연 여섯 권의 우화를 집필하는 것이 가능할까 싶었는데, 『인권 상상상』은 이런 상상이 현실이 되는 것은 시간문제라는 자신감을 주었다. 향후 1~2년 안에 물고기를 주인공으로 한 노동 관련 우화와 새를 주인공으로 한 민주주의 관

---

9 이 책은 2024년 상반기에 개정판을 출간할 계획이다. 두더지를 주인공으로 전면에 내세워 자본주의 역사를 서술하고, 기존 책에 담겨 있던 아재 개그도 가능한 한 덜어낼 생각이다.

련 우화를 순차적으로 출간할 계획이다. 그런 다음 다섯 권의 우화에 등장한 모든 동물들이 모여 시민 축제를 하는 여섯 번째 책을 출간하려고 한다. 시민 축제를 담은 우화의 깊이를 더하기 위해 2024년 6월에 열리는 스웨덴 고틀란드 섬의 알메달렌 축제에 갈 예약도 미리 해 두었다.

2020년에 『정의를 찾는 소녀』를 집필한 이후, 누나 유해숙 교수와 함께 『선배시민』을, 중원노인종합복지관 사회복지사들과 함께 『우리는 선배시민의 길을 만든다』를 집필하였다. 두 권의 책은 노인을 시민이자 인간으로 규정하는 이론과 실천에 관한 책이다. 그 이후 동료들과 함께 선배시민학회를 창립했고, 노인 당사자 모임인 선배시민협회의 창립을 눈앞에 두고 있다. 노인을 선배시민으로 규정하는 것이 이상이었다면, 이 이상을 일상으로 만드는 상상과 실천이 학회와 협회의 창립이다.

『인권 상상상』은 동료들과의 토론에 기반하고 있다.

필자는 매년 6,000명씩 입학하는 한국방송통신대학교 사회복지학과 학부 학생들과, 새로운 토론과 실천의 동료가 되는 대학원 원우들에게 큰 빚을 지고 있다. 학생이기 이전에 시민들인 학우와 원우들에게 강의할 준비를 하면서 배우고,

강의를 하고 토론을 하면서 배우고, 현장의 조직화를 함께 하면서 배운다.

필자는 늘 현장이 밴 이론과 이론이 밴 현장을 학문적 실천의 핵심이라고 주장해 왔다. 이런 실천의 중심에는 한국방송통신대학교 사회복지학과 동료들이 있다. 이현숙, 김영애, 강상준 그리고 인지훈 교수와 늘 함께 공부하고, 팀 티칭을 하고, 밥을 먹는다. 우화에 등장하는 느~린마을 사총사의 우정은 동료 교수들을 염두에 두고 쓴 것이다. 필자의 또 다른 동료는 사단법인 마중물과 협동조합 마중물이다. 협동조합 마중물의 김학성 이사장에게 감사의 맘을 전한다. 사단법인 마중물의 활동가 김상봉, 김향미, 한연길, 협동조합 마중물의 신민정은 헌신하는 동료들이다. 그리고 마중물의 수많은 회원과 조합원들은 상상상을 위한 내 생애 최고의 선물이다.

이 책이 출간될 수 있었던 것은 집필에 필요한 자료를 찾아 주고, 집필 원고에 코멘트를 해 주었던 동료들 덕분이다. 필자는 매 학기마다 한국방송통신대학교 사회복지학과 대학원생들에게 우화 작성 과제를 낸다. 원우들이 직접 쓴 작품을 함께 토론하는 과정에서 우화에 대한 이해를 심화할 수 있었다. 특히 김영애 교수는 『인권 상상상』의 우화를 읽고 조언을 아끼지 않았고, 사단법인 마중물의 김향미 사무국장은 자료 조사는 물론 코멘트까지 꼼꼼하게 해 주었다. 대학원생 이하림은 집필 초기에 다양한 곤충 관련 자료를 제공해 주었다. 이 밖에도 마중물의 식구들, 누나 유해숙 교수, 그리고 학교의 많은 동료들이 이 책을 읽고 함께 고민해 주었다.

이 책이 출간되는 데 출판사 마북의 힘이 컸다. 책을 함께 내는 과정에서 세부적이고 구체적인 내용 첨삭뿐만 아니라 전반적인 흐름과 방향까지 조언해 주었다. 이 지원이 없었다면 이 책은 앞서 선보인 두 권의 우화에 비해 처참한 수준으로 출간되었을지 모른다. 김민하 대표, 이영은 편집자, 공미경 디자이너께 감사드린다. 이 책의 또 다른 저자는 유기훈 작가이다. 글로 다 표현할 수 없는 세계를 그림으로 풍부하고 깊이 있게 창조해 주었다. 이들과 함께라면 나머지 세 권의 우화도 순조롭게 진행되고, 더할 나위 없이 품위 있는 모습으로 세상에 나올 것이라 확신한다. 책들이 모두 출간되면 반드시 이분들과 모처에서 맛난 음식과 함께 한가로운 축제의 시간을 가지리라.

상상상!

참고 문헌

룰루 밀러, 『물고기는 존재하지 않는다』, 곰출판, 2021.
마이클 샌델, 『공정하다는 착각』, 와이즈베리, 2020.
마이클 영, 『능력주의』, 이매진, 2020.
백무산, 「무무소유」, 『이렇게 한심한 시절의 아침에』, 창비, 2020.
브뤼노 라투르 & 니콜라이 슐츠, 『녹색 계급의 출현』, 이음, 2022.
비키 허드, 『벌레가 지키는 세계』, 미래의창, 2023.
사울 D. 알린스키, 『급진주의자를 위한 규칙』, 아르케, 2008.
스콧 R. 쇼, 『곤충 연대기』, 행성비, 2016.
아리스토텔레스, 『니코마코스 윤리학』, 길, 2011.
아리스토텔레스, 『정치학』, 숲, 2022.
안네 스베르드루프-튀게손, 『세상에 나쁜 곤충은 없다』, 웅진지식하우스, 2019.
엘리자베스 토바 베일리, 『달팽이 안단테』, 돌베개, 2021.
장 앙리 파브르, 『파브르 곤충기 1』, 현암사, 2019.
장 자크 루소, 『인간 불평등 기원론』, 책세상, 2021.
장 자크 루소, 『사회계약론』, 후마니타스, 2022.
제레미 벤담, 『파놉티콘』, 책세상, 2002.
존 로크, 『통치론』, 까치, 2022.
존 카디너, 『미움받는 식물들』, 윌북, 2022.
칼 폴라니, 『거대한 전환』, 길, 2009.
파울로 프레이리, 『희망의 교육학』, 아침이슬, 2006.

파울로 프레이리, 『자유의 교육학』, 아침이슬, 2007.

파울로 프레이리, 『페다고지』, 그린비, 2013.

폴 라파르그, 『게으를 권리』, 필맥, 2009.

프리모 레비, 『이것이 인간인가』, 돌베개, 2007.

한나 아렌트, 『예루살렘의 아이히만』, 한길사, 2006.

한나 아렌트, 『인간의 조건』, 한길사, 2019.

이 책과 함께하는 사람들

마중물

마중물은 '시민교육과 사회정책을 위한 마중물'을 줄여 부르는 말이다.
시민들이 자기 목소리를 갖도록 돕고, 시민 중심 정책을 제안하기 위해
2009년에 출범했다. 시민들과 '마중물 세미나'를 하고, 시민교육 전문가와
정책 전문가를 지속적으로 키우고 있다. 노인이 주체적인 시민이 되는
'선배시민론'을 만들고, 인권, 노동, 지방정치, 사회복지 분야에서 다양한 정책을
제안하고 있다. 이러한 교육 및 정책 역량을 시민들과 일상적으로 공유하기 위해
'협동조합 마중물 문화광장'을 만들고 마샘을 열었다.
www.waterforchange.co.kr

마샘

마샘은 '마중물 문화광장 샘'의 줄임말이다. 마중물이 만든 샘, 마르지 않는 샘,
마중물 선생님이라는 의미를 담고 있다. 서점, 카페, 세미나실 등으로 구성되어
있으며 시민들이 나와 동료, 그리고 공동체를 만날 수 있는 '광장'이 되고자 한다.
www.masambooks.com

마디

마디는 '마중물 미디어센터'의 줄임말이다. 사단법인 마중물의
시민교육 및 사회정책 관련 콘텐츠를 시민들과 공유하기 위해 만들었다.
유튜브의 '마중물TV'(www.youtube.com/@TV-dc7ui)를 운영한다.

마북

마북은 마중물BOOK세상, 마법 같은 책세상, 새로운 세상을 마중하는 책공방 등을 뜻한다. 생각하는 시민들이 함께 사회를 바꾸는 데 필요한 책을 만들고자 한다. www.mabook.co.kr, blog.naver.com/mabook365, facebook.com/mabook365

이상이 일상이 되도록 상상하라

초판 1쇄 발행 2023년 10월 5일
지은이 유범상 **그린이** 유기훈 **펴낸이** 김민하
펴낸곳 (주)마북 **등록** 제353-2019-000023호(2019년 10월 24일)
인천시 남동구 소래역남로 16번길 75 에코메트로3차 더타워상가 B103-5호
전화 070-8744-6203 팩스 032-232-6640 이메일 mabook365@gmail.com
www.mabook.co.kr, blog.naver.com/mabook365, facebook.com/mabook365

편집 이영은 **디자인** 공미경 **인쇄** 한영문화사 **제책** 대원바인더리

ISBN 979-11-981387-2-9 04300 979-11-981387-1-2(세트)